D0975387

BUSCANDO A PAPÁ NOEL

Richard Paul Evans

BUSCANDO A

PAPÁ NOEL

Traducción de Montserrat Batista

Umbriel Editores

Argentina • Chile • Colombia • España
Estados Unidos • México • Perú • Uruguay • Venezuela

Título original: *Finding Noel*
Editor original: Simon & Schuster, New York
Traducción: Montserrat Batista Pegueroles

Copyright © 2006 *by* Richard Paul Evans
    All Rights Reserved
© de la traducción 2010 *by* Montserrat Batista Pegueroles
© 2010 *by* Ediciones Urano, S. A.
    Aribau, 142, pral. – 08036 Barcelona
    www.umbrieleditores.com

ISBN: 978-84-89367-74-6
Depósito legal: B - 23.993 - 2010

Fotocomposición: Pacmer, S. A.
Impreso por Dédalo Offset, S. L.

Impreso en España – *Printed in Spain*

⊠ AGRADECIMIENTOS ⊠

*E*n primer lugar, *tante grazie* a mi amada Keri, por ser mi hogar y mi aliento.

Me gustaría dar las gracias al elenco habitual por su extraordinaria paciencia y por su apoyo durante los momentos difíciles por los que pasé mientras escribía este libro: mi agente Laurie Liss y mis amigos de Simon & Schuster: mi editora Sydny Miner (gracias, Syd, por tu empatía y tus palabras tranquilizadoras) y a mis directores editoriales David Rosenthal y Carolyn Reidy.

Me gustaría dar las gracias a mi talentosa y perspicaz nueva asesora literaria, Jenna Evans.

También agradezco a Gypsy da Silva, Emily Benton y Karen Roylance su ayuda editorial.

Me gustaría despedirme de mi ayudante Kelly Gay. Ha sido un placer trabajar contigo durante estos últimos años. (Y con *Boomer* también.)

En tanto que este libro es íntegramente una obra de ficción —igual que lo son sus personajes—, muchas de las experiencias de Macy están inspiradas en las que mi querida amiga Celeste Edmunds tuvo en la vida real. Doy las gracias a Celeste por ayudarme en mi investigación, pero sobre todo por compartir conmigo las historias de su pasado y por permitir que las recreara en mi libro. A aquellos que piensen que el personaje de Macy es demasiado resistente, bondadoso y acendrado por las atrocidades de su pasado como para resultar creíble, les invito a que conozcan a Celeste.

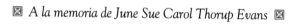 *A la memoria de June Sue Carol Thorup Evans*

*M*i primera obra publicada fue una historia que escribí en el primer curso de la Escuela Primaria Hugo Reid en Arcadia, California. Mi historia se llamaba *The Blue Bunny* y la publicaron en el anuario de trabajos creativos de la escuela. Mi madre la tenía por una obra maestra de la literatura norteamericana. A partir de *The Blue Bunny*, mi madre fue mi más grande admiradora.

Perdí a mi más grande admiradora el día de San Valentín de este año. Esta historia es para ella.

CAPÍTULO

Uno

Empieza por el principio, termina por el final.
Es el mejor consejo que podría darle a un amigo.

☒ LETRA DE CANCIÓN DEL DIARIO DE MARK SMART ☒

Cuando era niño, mi madre me contó que todas las personas que aparecen en nuestra vida lo hacen por un motivo. No estoy seguro de creérmelo. La idea de Dios entretejiendo millones de vidas para formar un gran tapiz humano me resulta un tanto fatalista. Aun así, cuando contemplo mi vida en retrospectiva, tengo la sensación de que en algunas ocasiones se hace evidente semejante divinidad. Ninguna me resulta más obvia que aquella noche de invierno en la que conocí a una hermosa joven llamada Macy y que fue seguida de la extraordinaria cadena de acontecimientos a la que dio lugar ese encuentro.

Claro que esa teoría llevada al extremo significaría que aquella noche Dios saboteó mi coche porque, si la correa de distribución de mi automóvil no se hubiera roto en aquel preciso momento, esta historia no hubiese ocurrido. Pero ocurrió, y mi vida cambió para siempre. Quizá mi madre tuviera razón. Si Dios puede alinear los planetas, tal vez pueda hacer lo mismo con nuestras vidas.

⊠

Mi historia empezó en una época en la que estaba peligrosamente cerca de terminar con todo: una noche invernal del mes de noviembre, once días después de que mi madre muriera. Falleció en un accidente de automóvil. Otras tres personas iban con ella en el coche y todas salieron de él ilesas, menos mi madre. Yo estaba muy unido a ella y el día que me enteré de su muerte fue el peor de mi vida.

Ya antes de su fallecimiento mi vida era un desastre. Nueve meses antes me había marchado de mi casa en Huntsville, Alabama, y había venido a Salt Lake City para asistir a la Universidad de Utah con una beca para estudiar ingeniería. Nunca había estado en el oeste y lo único que sabía de Utah (aparte de que allí se encontraba la única facultad de otro estado dispuesta a concederme una beca) era que estaba muy lejos de Huntsville, con unas cuantas cadenas montañosas de por medio. Esto me venía bien porque quería poner tantos kilómetros de distancia como me fuera posible entre mi padre y yo.

Lo cierto es que nunca llamé «padre» a Stuart Smart. Para mí siempre había sido «Stu» y consideraba que su nombre completo era un oxímoron[1]. Era un mecánico de automóviles con una educación de octavo curso, con grasa bajo las uñas y que despreciaba todo aquello que no entendía (entre lo que se incluía la gramática inglesa y yo).

Su sueño para mí era que algún día me hiciera cargo del negocio familiar —Smart Auto Repair— y todos los sábados desde

---

1. Figura retórica que consiste en la unión de dos palabras de sentido opuesto. *Smart* en inglés significa «listo», «agudo», «inteligente», mientras que *stu* es el apócope de «estúpido». (*N. de la T.*).

que cumplí los diez años me arrastraba hasta el taller y me ponía a trabajar. Mientras mis amigos pasaban el rato en el restaurante de comida rápida Tastee-Freez o cazando saltamontes con pistolas de aire comprimido, yo pasé mi niñez cambiando neumáticos y filtros de aire.

No había nada que no odiara del taller, desde el aburrimiento de observar a Stu diseccionando una transmisión hasta los sándwiches de salchicha ahumada con mostaza dentro de un pan manchado de aceite de motor. Pero lo que menos me gustaba era estar con Stu. No era una persona dada a la conversación intrascendente, de manera que los largos días transcurrían en silencio en su mayor parte, salvo por algún que otro zumbido de una herramienta y por el sonsonete constante de una emisora de música *country*. Yo no era muy bueno como mecánico y Stu siempre parecía estar molesto por mi ineptitud. Todas las semanas le rogaba a mi madre que no me hiciera ir, y un sábado, más o menos cuando cumplí los catorce, Stu por fin dejó de insistir y no me llevó con él.

Si el amor no es ciego, como mínimo es muy corto de vista.
Diario de Mark Smart

Mi madre, Alice Geniel Phelps, no era como Stu. Ella era indulgente, amable y de habla educada. Le gustaba leer y hablar de filosofía, música y literatura, cosas que por lo general mi padre consideraba una pérdida de tiempo. Nunca había podido explicarme cómo una persona como mi madre se había casado con un tipo como Stu hasta que encontré una copia del anuncio de boda de mis padres. Para mi sorpresa, me enteré de que cuando yo nací ellos tan sólo llevaban ocho semanas casados. Supuse que, tal como eran las cosas por aquel entonces, tuvieron que hacerlo.

Cuando me fui haciendo mayor, Stu y yo discutíamos mucho. No sabría decir cuántas veces mi madre intercedió por mí, en ocasiones interponiéndose entre los dos. Mi madre era la piel que mantenía unido nuestro hogar. Ahora había desaparecido. Y mi hogar también.

Como he dicho, las cosas ya iban mal. Aunque yo me esforzaba mucho y sacaba sobresaliente en todo, tras mi primer año en la facultad, la universidad anunció un recorte presupuestario y canceló cientos de becas, incluida la mía. Puesto que ya no estaba en la facultad, perdí mi trabajo en la secretaría de admisiones de la universidad y mi habitación en la residencia de estudiantes.

Lo cierto es que no me importaba mucho la ingeniería —no me gustaba de verdad—, pero mis padres no podían permitirse el lujo de pagar la matrícula y la beca era mi única posibilidad de estudiar la carrera. Mi verdadero sueño era ser compositor. Sin embargo, las becas para los estudios de música son difíciles de conseguir, a menos que seas un virtuoso del género clásico, que no lo soy. Toco bien la guitarra de doce cuerdas, supongo que más bien soy un cantante folk y no tengo precisamente las aptitudes propias para la Academia Juilliard, el prestigioso conservatorio de Nueva York. Stu había pronosticado mi fracaso y yo no tenía la más mínima intención de darle el gusto de tener razón, de modo que me quedé en Utah y escribí cartas alegres y fraudulentas a casa diciéndole a todo el mundo que la universidad iba bien. La verdad era que estaba solo, deprimido y necesitado, vivía en un apartamento decadente en un sótano y trabajaba en el único empleo que pude encontrar: como conserje en un instituto cercano.

Mi plan era ahorrar dinero suficiente para retomar los estudios universitarios, pero con lo que ganaba apenas me alcanzaba para ir tirando. El día que mi madre murió, mi tía llamó a la residencia de estudiantes para decírmelo. Fue entonces cuando mi familia se enteró de que ya no estaba en la facultad. Puesto que no les había dejado ninguna dirección o teléfono, no me enteré de la muerte de mi madre hasta dos días después del funeral, cuando llamé a casa para hablar con ella. Stu contestó al teléfono. Me llamó mentiroso y me dijo que no me molestara en ir a casa.

Creí que había tocado fondo, pero por lo visto aún quedaba espacio para seguir cayendo. Aquella misma semana, Tennys, la novia que tenía en Alabama y con la que llevaba saliendo casi cuatro años, me mandó una carta informándome de su reciente compromiso con un joven y prometedor quiropráctico.

Me avergüenzo de lo que sucedió a continuación. Ahora creo que, en circunstancias adecuadas, todos somos capaces de cosas que nunca hubiéramos creído posibles.

Durante el último año había estado lidiando con la depresión. Pero entonces, con el dolor, la soledad y el rechazo añadidos, empecé a abrigar ideas de poner fin a mi vida. Al principio no era más que una chispa errante que se extinguía rápidamente. Sin embargo, a medida que mi depresión se hacía más profunda, la idea empezó a arraigarse.

La noche en la que empieza esta historia llegué al trabajo y tuve que aguantar los gritos de una profesora de inglés loca que me acusaba de haber robado un reproductor de CD de un aula. Yo no sabía nada del reproductor, ni siquiera lo había visto nunca, pero ella insistió en que yo era la única persona que tenía acceso a su aula y juró que me despedirían y me denunciarían a la policía si no lo devolvía al día siguiente. Más avanzada la tarde, mientras limpiaba los aseos, decidí que aquélla sería mi última noche de dolor. En eso tenía la cabeza cuando mi coche se averió de camino a casa desde el trabajo. Pensé que Dios me propinaba una última patada. Lo cierto era que Él tenía otros planes.

Mi madre solía decir: «Las situaciones extremas del hombre son las oportunidades de Dios». También decía: «Sé amable con todo el mundo; uno no sabe con qué cruz están cargando ni lo dulces que pueden llegar a sonar unas palabras afables». Aquella noche se demostró la veracidad de estas frases sabias.

Aquella noche fue el comienzo de un viaje en el que aprendí que una verdad lo puede cambiar todo. Fue la noche que encontré a Macy. Y fueron las Navidades en las que Macy encontró a Noel.

CAPÍTULO

Mi madre solía decirme que los ángeles recorren la tierra disfrazados de personas. Esta noche soy un creyente.

⊠ DIARIO DE MARK SMART ⊠

3 DE NOVIEMBRE DE 1988

—¡Qué caray!

Los limpiaparabrisas se movían como locos en un vano intento por limpiar la nieve del parabrisas de mi Malibú de dieciséis años, que se ahogó, tembló y se caló mientras el salpicadero se iluminaba como un árbol de Navidad. Era casi medianoche y la ciudad de Salt Lake había caído en las garras de una nevada temprana. De hecho, era una tormenta. Acababa de terminar mi jornada de trabajo y me dirigía a casa por unas carreteras repletas de nieve preguntándome si de verdad sería capaz de poner fin a mi vida. Teniendo en cuenta el rumbo que estaban tomando mis pensamientos, parece raro que la avería de mi coche me preocupara. Sin embargo, así fue. «Otra señal del amor infinito de Dios», pensé con cinismo.

Acerqué el Malibú al borde de la calzada, el coche se deslizó y chocó contra el bordillo oculto por la nieve. Pegué unos puñetazos en el volante, frustrado. Considerando el tiempo que pasé en el taller de Stu, sabía relativamente poco de automóviles. Stu hubiera sabido lo que ocurría antes de que se parara el coche. Una vez vi una película sobre un susurrador de caballos, un tipo que podía hablar con los caballos y curarlos. Stu era una especie de «susurrador de automóviles», era capaz de decirte qué le pasaba a tu coche antes de abrir siquiera el capó.

☒

La nieve torrencial envolvió mi coche como en un capullo. Cuando ya no pude ver nada por el parabrisas, descendí del vehículo y eché un vistazo alrededor para hacerme una idea del apuro en el que me encontraba. Todos los edificios de la calle estaban a oscuras, excepto uno situado a una media manzana de distancia. Caminé con dificultad hacia la luz a través de la nieve intacta que cubría la acera.

En el exterior del edificio había un cartel que rezaba: THE JAVA HUT, O JAVA THE HUT, COFFEE HOUSE; por la colocación de las letras en el rótulo, no estoy seguro de cuál de los dos nombres era. Cuando me acercaba al establecimiento, una joven le dio la vuelta al letrero de ABIERTO de la ventana y lo puso por el lado de CERRADO. Después se dirigió a la puerta principal y llegó a ella al mismo tiempo que yo. Se sobresaltó un poco al verme. Estoy seguro de que mi aspecto era espantoso, con la cabeza y los hombros cubiertos de nieve. La joven era por lo menos quince centímetros más baja que yo, de aproximadamente mi misma edad, tenía el pelo de color castaño rojizo, un rostro ancho y unos ojos de cervatillo del color de la Coca-Cola. Poseía esa clase de belleza que normalmente me turbaba. Abrió la puerta lo justo para asomar la cabeza.

—Lo siento, acabamos de cerrar.

Yo la miré, incómodo, con las manos hundidas en los bolsillos.

—Se me ha estropeado el coche… Sólo necesito que me prestes un teléfono.

Ella me observó, retrocedió lentamente y abrió la puerta.

—Pasa.

Sacudí los pies para quitarme la nieve y entré. Ella cerró la puerta detrás de mí mientras yo me desabrochaba el abrigo.

—El teléfono está aquí.

La seguí hacia un despacho situado en la parte de atrás. La habitación estaba hecha un absoluto desastre. Había un montón de papeles en la mesa; parecía que alguien hubiera vaciado en ella un cubo de basura. El lugar olía como los posos del café. Señaló el teléfono.

—Ahí está. Puedes sentarte a la mesa si quieres.

—Gracias. ¿Tienes una guía telefónica?

—¿Las páginas amarillas o las blancas?

—Las blancas.

La joven sacó la guía de entre un montón de cosas apiladas encima de un aparador que había allí al lado y me la entregó. Busqué el número de un amigo cuyo hermano arreglaba coches. Dejé que el teléfono sonara una docena de veces y colgué. Ella me miró con aire comprensivo.

—¿No hay nadie?

—Supongo que no.

—¿Quieres llamar a alguien más?

No se me ocurría nadie.

—No sé a quién podría llamar.

—Yo conozco a un mecánico —dijo y, con gesto ceñudo, añadió—: Pero a esta hora ya no estará. ¿Quieres llamar a un taxi?

No tenía dinero para pagarlo.

—No. Iré andando.

—¿Con esta ventisca?

—No voy muy lejos —mentí.

Ella frunció el ceño.

—De acuerdo. Te abriré la puerta.

Salí del despacho abrochándome el abrigo mientras caminaba. Ella me siguió hasta la entrada del establecimiento, sacó las llaves y me abrió la puerta.

—Gracias de todos modos —dije.

—No hay de qué.

Me miró un momento y preguntó de repente:

—¿Te encuentras bien?

Aparte de mi madre, nadie me había hecho esta pregunta desde que me había marchado de casa. No soy muy propenso al llanto, mi padre se encargó de ello. Aun así, para mi vergüenza, se me empezaron a llenar los ojos de lágrimas. Por mucho que quisiera, no podía apartar la mirada de ella.

—No estás bien, ¿verdad? —miró las lágrimas que brotaban de mis ojos, avanzó y me rodeó con sus brazos. No sabría decir cuándo fue la última vez que había tenido contacto físico con alguien. La chica me proporcionó una sensación de calor, sustento y seguridad. Apoyé la cabeza en su hombro y empecé a sollozar con desconsuelo. Pasó más de un minuto antes de que recuperara la compostura. Retrocedí limpiándome las mejillas y sintiéndome avergonzado por estar llorando delante de una completa desconocida.

—Lo siento.

—Explícame qué te ocurre.

Le dije que no con la cabeza.

Ella retiró una silla de una mesa cercana.

—Toma, siéntate. Te traeré un chocolate caliente.

Me senté en la silla y me enjugué los ojos con disimulo, como si hubiera alguna otra persona en la habitación que pudiera darse cuenta de que había estado llorando como un bebé. Al cabo de un momento la joven regresó con una taza de cacao humeante con una nube de nata montada alzándose por encima del borde.

—Aquí tienes.

Tomé un sorbo. Estaba caliente y cremoso.

—Gracias.

—Tengo un ingrediente secreto. Le añado un poco de jarabe de arce.

—Está bueno —la miré a los ojos. Estaban clavados en mí.

—¿Cómo te llamas? —me preguntó.

—Mark.

—Yo soy Macy.

—Macy —repetí—. ¿Como el desfile?[2]

Ella asintió con la cabeza.

—Mi padre me decía que el desfile era para mí.

—¿Cuál es tu apellido? —pregunté.

---

2. Se refiere al conocido desfile del día de Acción de Gracias que organiza anualmente la cadena de grandes almacenes Macy's por las calles de Manhattan. (*N. de la T.*)

—Wood —dio un golpe en la mesa con los nudillos, aunque ésta parecía ser de formica y acero[3]—. ¿Y el tuyo?

—Smart.

—Es un buen apellido. Por tu acento apuesto a que no eres de Salt Lake.

—Soy de Alabama. Vine para estudiar en la universidad.

—Entonces eres estudiante universitario —dijo; parecía impresionada.

—Lo era. Ahora sólo trabajo.

—¿Dónde trabajas?

—En el West High School. Soy conserje.

—Yo fui al instituto West —me dijo—. Durante un tiempo al menos —me miró—. Dime, ¿qué es lo que te pasa?

—Querrás decir, qué es lo que no me pasa —repuse. Respiré profundamente—. Mi madre murió la semana pasada.

Puso cara larga.

—Lo siento. —Al cabo de un momento alargó el brazo por encima de la mesa y puso la mano sobre la mía—. Háblame de ella.

—Era mi mejor amiga. Por mal que fueran las cosas, ella siempre estaba ahí para mí —se me volvió a hacer un nudo en la garganta—. Ni siquiera asistí a su funeral. Nadie sabía cómo localizarme, de modo que no me enteré hasta dos días después del entierro.

—Lo siento mucho —dijo ella. Pasado un minuto me preguntó—: ¿Tu familia vive en el sur?

---

3. *Wood* en inglés significa «madera». (*N. de la T.*)

Asentí.

—Sí.

—Entonces, estás pasando por todo esto tú solo, ¿no?

—Sí —tomé otro sorbo de chocolate.

—No hay nada mejor que el chocolate para curar el alma —afirmó—. A mí me encanta el chocolate. Es la manera que tiene Dios de disculparse por el brécol.

Sonreí a pesar de todo.

—Vaya, sonríes… —dijo en voz baja. Se recostó en su asiento y me observó atentamente—. Así que no tienes familia por aquí. ¿Y amigos?

—No conozco a mucha gente en Salt Lake. Tenía a mis compañeros de habitación, pero cuando dejé la facultad… —la miré—. Tenía una novia…

—¿Tenías?

—Salimos juntos durante cuatro años. Hace tres días recibí una carta suya en la que me dice que está prometida.

Macy meneó la cabeza.

—No lo decías en broma. Siempre llueve sobre mojado.

—Y a cántaros, además —dije. Bebí más chocolate caliente y luego me volví hacia ella al tiempo que me echaba el pelo hacia atrás con la mano—. No puedo creer que te esté contando todo esto.

—Siempre contamos nuestros secretos más profundos a los desconocidos.

—¿Por qué crees que será?

—Quizá sea porque no pueden utilizarlos contra nosotros.

En mi opinión, tenía sentido.

—Tengo la sensación de que todo ha cambiado en mi vida,

como si estuviera jugando una partida y en mitad de ella alguien hubiera alterado las reglas. Me siento como un huérfano...

Algo de lo que había dicho pareció afectarla.

—Sé lo que es sentirse así —comentó en voz queda.

Volvimos a quedarnos en silencio y me terminé el chocolate. Alcé la taza.

—Gracias.

—De nada. ¿Quieres más?

—No. Estoy bien —miré el reloj. Era casi la una—. Debería dejar que te fueras.

Ella me miró con comprensión.

—Todavía estoy preocupada por ti.

—Estaré bien.

—¿Estás seguro?

—Sí.

—¿Me dejas que te lleve en coche hasta tu casa?

Le sonreí.

—Si insistes.

—Insisto. —Se puso de pie—. Sólo tengo que limpiar lo que hemos ensuciado. —Cogió mi taza y volvió al mostrador. Mientras yo permanecía allí sentado me preguntó—: ¿Quieres un bollo? Los tenemos de arándanos o de canela.

—No, gracias.

—¿Y qué me dices de uno de nuestros *brownies* «muerte por chocolate»? Somos famosos por ellos.

—Estoy bien.

—Tú te lo pierdes. —Salió limpiándose las manos con un paño de cocina—. Estoy lista. Mi coche está en la parte de atrás.

La seguí hacia la puerta trasera. Salí afuera mientras ella apagaba las luces, conectaba la alarma y cerraba la puerta. Seguía nevando, pero no tanto como antes.

—¿Esta cafetería es tuya? —le pregunté.

—No. ¡Ojalá! Es una mina. —Cerró con llave y se guardó ésta en el bolsillo—. Soy la encargada del turno de noche. —Señaló un coche que más que un automóvil parecía un iglú—. Ése de ahí es el mío. Mira qué montón de nieve —dijo con pesar—. Y no tengo rasqueta.

Eché un vistazo en derredor y encontré una caja de cartón que sobresalía del contenedor.

—Ahí hay algo. —Arranqué una tapa de la caja y la utilicé para rascar la nieve del parabrisas y de las ventanillas del coche. Ella esperó hasta que terminé, entonces abrió las puertas y subimos los dos. El coche era un Ford Pinto con tapicería de vinilo marrón y un rosario de plástico colgando del retrovisor. El salpicadero de plástico estaba agrietado en algunos sitios y recubierto de diversas calcomanías, la mayor parte de ellas de emisoras de radio. Tuvo que girar la llave varias veces en el contacto para que el motor arrancara. El parabrisas estaba empañado y Macy aceleró el motor un par de veces antes de conectar el descongelador. El aire se fue calentando poco a poco. Yo tenía las manos húmedas y enrojecidas por haber rascado la nieve y ella alargó las suyas y me las frotó suavemente.

—Tienes las manos heladas. Gracias por quitar la nieve.

—De nada.

—No hagas caso del coche. Si no se cae a pedazos, es por las oraciones y la cinta de embalar.

—Al menos anda.

—Tienes razón, menos mal que anda. —Metió una cinta en el estéreo y empezó a sonar una música suave—. ¿Dónde vives?

—En la Tercera Sur. Pasado el viaducto.

—Creí que dijiste que estaba cerca.

—No quería preocuparte.

Mientras aguardábamos a que el parabrisas se desempañara, ella alargó el brazo hacia el asiento trasero y cogió una caja abierta de galletas de jengibre.

—¿Quieres una galleta?

—Sí —metí la mano en la caja y cogí una. Ella también cogió una.

—Me encantan estas cosas —comentó.

Cuando el parabrisas se hubo desempañado lo suficiente como para poder ver a través de él, Macy puso la marcha y el coche salió lentamente del aparcamiento a la calzada coleando un poco.

—Da miedo —dijo—. Es increíble que haya nevado tanto. —Alargó la mano y puso en marcha la calefacción. Al cabo de quince minutos de conducción precaria señalé el gran edificio venido a menos en el que vivía.

—Es justo ahí. Esa casa que hay más adelante.

Macy acercó el coche al bordillo y se detuvo bajo una farola. Dejó el motor en marcha, pero puso el freno de mano.

—¿Seguro que estás bien?

—Estaré bien. Gracias. Por todo.

—No es nada. —De repente sonrió—. Tengo una cosa para ti. —Estiró el brazo para abrir la guantera, sacó una tarjeta y me la entregó—. Es un vale para café y pastas gratis en la cafetería. Algún día tienes que probar uno de nuestros famosos *brownies*.

Guardé la tarjeta en el bolsillo de la camisa.

—Gracias. —La miré—. ¿Por qué eres tan buena conmigo?

Ella sonrió y en sus ojos percibí algo hermoso y triste a la vez.

—Me pareces una muy buena persona a quien le han ocurrido un montón de cosas malas al mismo tiempo.

Bajé la mirada un momento y exhalé lentamente. Luego volví a mirarla a los ojos.

—Puede que esta noche me hayas salvado la vida.

—Ya lo sé —alargó el brazo y volvió a tocarme la mano—. Todas las cosas malas pasan con el tiempo. Puedes creerme.

Cubrí su mano con la mía.

—Gracias.

—Ha sido un placer. Cuídate —dijo.

—Tú también. Buenas noches. —Salí del coche a la acera y cerré la portezuela. Ella volvió a la calzada, realizó un cambio de sentido y agitó la mano una vez más para despedirse antes de alejarse y desaparecer tras una cortina de nieve. Mi madre tenía razón. Los ángeles sí que recorren la tierra.

CAPÍTULO

Tres

Regresé buscando a Macy.
Al parecer no existe.

⊠ DIARIO DE MARK SMART ⊠

No podía dejar de pensar en Macy. Hasta soñaba con ella. Tenía la sensación de haberme pasado los últimos días sonámbulo y una parte de mí se preguntaba si la había visto de verdad o si había sido la luz al final de una pesadilla. En cualquier caso, sabía que tenía que volver a verla.

Le pedí a mi casero que me dejara usar su teléfono y pude comunicarme con el mecánico a la primera. Accedió a reunirse conmigo a mediodía en el lugar en el que había dejado el coche, para lo cual faltaba poco más de una hora. Me duché y vestí rápidamente y me fui corriendo a coger el autobús.

La ventisca ya había pasado y había dejado el valle en calma, enterrado en la nieve. Había salido el sol, aunque por lo visto sólo para dejarse ver porque el aire cortante me enrojeció las mejillas y las orejas mientras esperaba en la parada. El autobús me dejó a unas pocas manzanas de distancia al este de la cafetería y pasé frente a ella de camino a mi coche. Las máquinas quitanieves del ayuntamiento habían pasado por allí durante la noche y la nieve que habían apartado llegaba hasta las ventanillas del automóvil. Entonces me di cuenta de que me había detenido en una zona en la que no se podía aparcar, pero no sabía si me habían puesto una multa. Al menos no se lo había llevado la grúa. A decir verdad, mis pensamientos no se centraban tanto en el coche como en Macy. Miré la hora. Todavía faltaban diez minutos para mediodía. El mecánico no había llegado, de modo que entré en la cafetería.

El lugar estaba abarrotado de gente y de repente, mientras echaba un vistazo, me sentí un tanto inquieto. ¿Qué le diría? ¿Y si no quería volver a verme? Me refiero a que le puedes dar un dólar a un mendigo, pero eso no significa necesariamente que quieras llevártelo a casa a cenar.

Me puse en la fila de la caja registradora. Cuando me tocó el turno, una joven que llevaba una camiseta de Bruce Springsteen y los ojos enmarcados en rímel me miró con una sonrisa.

—¿Qué puedo ofrecerte, encanto?

—Estoy buscando a Macy.

Me miró sin comprender.

—¿Macy?

—Sí.

—¿Se supone que tengo que saber quién es?

—Trabaja aquí.

La joven enarcó las cejas.

—No conozco a ninguna Macy. ¿Te refieres a Mary?

—No, Macy. Trabaja en el turno de noche.

Ella negó con la cabeza.

—Es Mary la que trabaja en el turno de noche. —Se volvió hacia una compañera de trabajo—. ¿Conoces a alguna Macy que trabaje aquí?

—¿Macy?

—Sí.

—Querrás decir Mary, ¿no?

La cajera se volvió de nuevo a mirarme.

—¿Estás seguro de que no te refieres a Mary?

—No, es Macy. Como los grandes almacenes.

—¿Qué aspecto tiene?

—Es menuda. Con el cabello corto, de color castaño rojizo. Ojos grandes. Muy guapa.

—Ésa es Mary.

—¿Cuál es su apellido? —pregunté.

—Hummel.

—No, el de Macy es Wood.

—Aquí no hay nadie que se apellide Wood.

No sabía qué decir. La mujer me miró con lástima y supuse que estaba pensando que le había preguntado el nombre a una de sus compañeras de trabajo y ésta me había dado uno falso. O tal vez me lo imaginara.

—Lamento no poder ayudarte. ¿Quieres alguna otra cosa?

Me sentí estúpido.

—Supongo que me tomaré un chocolate caliente —dije.

—En eso sí puedo ayudarte. ¿Con o sin nata?

—Con.

—¿De qué tamaño?

—Pequeño.

Pagué el chocolate y lo recogí al cabo de un minuto. Me senté cerca de la ventana delantera desde donde podía ver si llegaba el mecánico. Casi al mismo tiempo que terminé la bebida, una camioneta Chevy destartalada se detuvo frente a mi coche. Salí de la cafetería justo cuando un hombre se apeaba de un salto de la cabina. Llevaba botas de trabajo, pantalones de peto color mostaza e iba sin abrigo, sólo con un gorro de lana y un jersey blanco de cuello alto.

Me acerqué a saludarlo.

—Hola, soy Mark. —Mi aliento se heló.

—Carl —repuso.

—Gracias por venir.

—Sí. —Miró mi coche cubierto de nieve—. Tengo un par de escobillas detrás. —Cogió dos cepillos del suelo del remolque, me dio uno y quitamos la nieve de las ventanillas, la puerta y el capó. Después se arrodilló y enganchó el cable de remolque de su camioneta a mi parachoques delantero. Con cierta dificultad, abrí la puerta del conductor.

—¿Te han remolcado alguna otra vez? —preguntó.

—Sí. —En realidad, en más ocasiones de las que podía recordar. Stu siempre ayudaba a gente que no podía pagar una grúa. Eso tenía que reconocérselo; aunque no disponíamos de mucho dinero, él siempre estaba ayudando a la gente. En una ocasión se negó a aceptar el pago de una madre soltera que vivía un poco más abajo en nuestra misma calle diciéndole que el problema de su coche no era más que una bujía sucia. En realidad, se había pasado gran parte de la mañana poniendo el carburador en condiciones. Como sólo tenía diez años, estuve a punto de decir algo, pero la mirada severa que me lanzó me cerró la boca.

⊠

—Tú cuídate de que la cuerda esté siempre tirante —gritó Carl desde la ventanilla abierta de la cabina—. No olvides poner el coche en punto muerto. Y suelta el freno de mano si lo tienes puesto.

—Entendido —dije, y subí al coche que parecía una cámara frigorífica. Me encontré con que la batería se había descargado y no funcionaba ni el limpiaparabrisas ni la calefacción. Cuando la calzada estuvo despejada, Carl sacó el brazo y su camioneta avanzó con una sacudida tirando de mi coche y sacándolo del terraplén a la calle. Al cabo de veinte minutos llegamos a su casa. Me llevó hasta su entrada. Puse el freno y salí del vehículo.

Le entregué las llaves y usé su teléfono para llamar a Victor, un tipo que limpiaba en el instituto conmigo. Victor se había ofrecido para pasar a recogerme si alguna vez necesitaba que me llevaran. Era una oferta que hasta aquel momento había rechazado por dos razones. La primera, que tenía mi propio coche y no necesitaba que me llevaran. La segunda, que todas las conversaciones con Victor derivaban en discusiones sobre ovnis y teorías conspiratorias. Podías estar hablando del tiempo y él llevaba el tema a una diatriba sobre una maniobra del Gobierno para encubrir un platillo volante hallado en Los Álamos, Nuevo México. Yo rara vez estaba de acuerdo con sus creencias (en realidad, nunca) y sospecho que me consideraba un primo o creía que colaboraba de buen grado con alguna agencia gubernamental secreta que vigila las acciones de los extraterrestres aquí en la tierra.

⊠

Victor llegó unos cuarenta y cinco minutos más tarde y, alentado por tener una audiencia cautiva, estuvo en buena forma durante el trayecto hacia el trabajo y cubrió todos los puntos básicos de la ufología, desde las abducciones extraterrestres y los círculos de las cosechas hasta mutilaciones de ganado inexplicables al sur de Utah. Había ampliado su repertorio con la combustión espontánea humana. Me informó de que al menos veintiséis personas estallan en llamas espontáneamente cada año y que él había empezado a llevar un extintor en la parte trasera del coche. Me dio permiso para utilizarlo con él si empezaba a arder de repente. Sugerí que lo probáramos una vez para practicar, pero no le encontró la gracia.

Victor no dejó de hablar ni siquiera cuando llegamos al instituto. De todos modos el tiempo pasó deprisa porque mi mente estaba agradablemente ocupada en otras cosas. Supongo que el corazón, igual que la naturaleza, detesta el vacío, y yo había encontrado algo, o a alguien, para llenarlo. Basándome en mi curiosa experiencia del mediodía en la cafetería, sabía que era posible que no volviera a ver a Macy nunca más, pero aun así me resultaba agradable pensar en ella.

Eran casi las once de la noche cuando Victor volvió a dejarme en casa del mecánico. Mi coche estaba aparcado delante y decidí que era buena señal. La casa estaba a oscuras, salvo por el brillo de un televisor en el salón. Llamé a la puerta. Al cabo de un minuto Carl acudió a abrir con el pelo enmarañado y los ojos vidriosos de tanto mirar la televisión.

—Siento venir tan tarde —dije—. Acabo de salir del trabajo.

Se frotó el cuello.

—No pasa nada. Ya lo reparé.

—Estupendo. —Le dije adiós a Victor con la mano y se marchó—. Bueno, ¿y qué le pasaba?

—Estaba rota la correa de distribución. Y la batería descargada.

Recordaba lo suficiente del taller de mi infancia como para saber que era una noticia cara.

—¿Cuánto te debo?

—Tuviste suerte; encontré una correa en el depósito. Cincuenta dólares por los recambios y setenta por la mano de obra. No te cobro por cargarte la batería.

—Gracias —le dije, y saqué la cartera—. Tengo efectivo —Le di seis billetes de veinte dólares. Debería haberme costado el doble. De todos modos, era casi todo el dinero que tenía. Tendría que pasarme la semana comiendo sándwiches de mantequilla de cacahuete y cereales del desayuno.

—Las llaves están debajo del asiento. La puerta no está cerrada.

—Gracias. Que pases buena noche.

—Sí. —Cerró la puerta.

Puse el coche en marcha y me fui a casa.

CAPÍTULO

Cuatro

Mermelada mañana y ayer.
Para ocultar mi dolor, ¿qué puedo hacer?
El País de las Maravillas desapareció,
sin saber cómo, Alicia se perdió…

⊠ LETRA DE CANCIÓN DEL DIARIO DE MARK SMART ⊠

Vivía en un viejo edificio estilo Tudor de dos pisos que habían reconvertido en apartamentos de alquiler. Yo ocupaba el más pequeño: un estudio con un baño con ducha con una cortina de plástico (decorada con dibujos de peces de colores del tamaño de una tostadora) y una cocina con un fregadero de porcelana, una encimera y un pequeño fogón eléctrico. No había horno, pero me daba igual porque, de todas formas, no me gustaba demasiado cocinar. El alquiler era de tan sólo 175 dólares al mes, cosa que estaba bien, puesto que yo no ganaba mucho. Aunque era casi medianoche, me senté con mi guitarra y deslicé los dedos por el suave dorso de su mástil barnizado. La rasgueé con suavidad, afiné la tercera cuerda y empecé a tocar una canción que había empezado a escribir justo después de saber que mi madre había muerto. Canté en voz baja:

Alicia nunca regresó a través del espejo,
y el País de las Maravillas ya nunca fue el mismo.
Evoco los recuerdos de mis años de niñez
a la que nunca puedo volver.

Si pudiera recuperar las esperanzas de la infancia,
los deseos y sueños que antaño albergué,

los reuniría todos si estuviera en mis manos,
y los cambiaría para traerte de vuelta.

Y el País de las Maravillas desapareció.
Sin saber cómo, Alicia se perdió,
creo que podría encontrarla si lo intentara de verdad,
pero tal vez no me corresponda…

Terminé con un acorde medio y dejé que el eco de la guitarra se fuera apagando en la habitación. No sé por qué me torturaba. Si ya resultaba bastante duro pensar en mi madre, no digamos cantar sobre ella. «Terapia», me dije.

En aquel preciso momento llamaron a la puerta. Hice una mueca. «El casero», pensé. Mi casero era un tipo peculiar. Tenía cerca de ochenta años y vivía solo en el apartamento situado justo encima del mío. Cuando aún no había decidido si alquilarlo o no, él me había ofrecido con generosidad dejarme utilizar su teléfono, una oferta que olvidó convenientemente la primera vez que se lo pedí.

Además, se iba temprano a la cama, normalmente sobre las ocho, y tenía el sueño muy ligero. Odiaba que yo me quedara trabajando hasta tarde, pues decía que siempre lo despertaba, por muy silencioso que intentara ser. Si oía algún ruido en mi piso pasadas las diez, no dudaba en bajar, con el rostro colorado y despotricando. Dejé la guitarra junto al sofá y fui a abrir mientras me preparaba para su diatriba. Tiré de la puerta para abrirla. Macy estaba en el pasillo oscuro. Por un momento nos limitamos a mirarnos.

—¿Te he despertado? —preguntó.

—No, acabo de llegar. Pasa.

—Gracias. —Entró y echó un vistazo rápido a la habitación. Su mirada se detuvo en mi guitarra—. ¿Eras tú el que cantaba?

—Sólo es una canción en la que he estado trabajando.

—¿La escribiste tú? —preguntó; parecía impresionada.

—Sí.

—Eres muy bueno.

Su halago me complació. Fui hasta el sofá y puse la funda de la guitarra en otro sitio.

—Siéntate.

Ella se acercó y se acomodó en mi sofá.

—Es un piso muy bonito. Es acogedor. —Alargó el brazo y tocó mi guitarra—. ¿Enseñas a tocar la guitarra?

—Antes sí lo hacía, en Alabama. He pensado en empezar a hacerlo aquí, pero últimamente mi vida ha sido tan inconexa… Cuesta encontrar alumnos.

—Yo siempre he querido dar clases —afirmó. Me miró—. Lamento haber venido tan tarde. Es que salí de trabajar y quería ver qué tal estabas.

—Estoy bien.

—¿En serio?

—En serio. Gracias a ti. Esta semana pasada me sentía como un loco. Tú me has infundido nuevamente la cordura.

Sonrió.

—Bien.

—Me sorprende que hayas encontrado mi casa. Cuando me dejaste aquí, era medianoche y estábamos en medio de una ventisca.

—Me perdí un poco. Pero sólo un momento.

—¿Estabas en… la cafetería?

—Sí.

—Es que no estoy seguro de cómo se llama.

—No pasa nada, a todo el mundo le pasa lo mismo.

—¿A qué te refieres?

—Cuando abrió por primera vez se llamaba The Java Hut. Después, hace cinco años, Jeff, el hijo del propietario, se hizo cargo del negocio. A Jeff le gusta mucho la ciencia ficción y *La guerra de las galaxias* y pensó que estaría bien darle la vuelta al nombre y llamarlo Java the Hut, ya sabes, como Jabba el Hutt, ese tipo con aspecto de lagarto enorme de la película. No creo que la gente lo siga relacionando siquiera, pero la mayoría lo llaman The Hut igualmente.

—A Jeff le gustaría Victor —dije.

—¿Quién?

—Nadie —respondí a toda prisa—. Pasé por… The Hut… cuando fui a buscar el coche esta mañana. Quería ver si estabas.

—Sólo hago el turno de noche.

—Cuando pregunté por ti, me dijeron que allí no trabajaba ninguna Macy Wood.

—Eso es porque todo el mundo cree que me llamo Mary Hummel.

—¿Y por qué lo creen?

—Porque es lo que pone en mi tarjeta de la Seguridad Social y es lo que mi jefe puso en el calendario de trabajo cuando empecé… No importa, respondo a casi cualquier cosa.

—¿Y cómo se pasa de ser Macy Wood a ser Mary Hummel?

—Tengo una vida un tanto… —vaciló— interesante.

—¿Interesante por ser fascinante o interesante como en una pesadilla?

—Sí.

Asentí lentamente.

—Anoche, cuando te dije que me sentía como un huérfano, me comentaste que sabías a qué me refería. ¿Tú también perdiste a tus padres? —Apartó la mirada de mí, incómoda por la pregunta, al parecer—. Si no quieres hablar de ello…

—No, no pasa nada. —Volvió a alzar la vista y sonrió con tristeza—. En realidad, más bien me perdieron ellos a mí.

—¿Qué quieres decir?

—Cuando tenía siete años, me dieron en adopción.

No sabía muy bien cómo reaccionar. Al final dije:

—Lo siento.

—Fue bastante duro, pero en aquel entonces yo era una niña muy fuerte. Mis padres eran alcohólicos y drogadictos. Había entrado y salido de casas de acogida y centros de rehabilitación tantas veces que el cambio era la única constante en mi vida. Cuando tenía siete años, el Estado intervino y me adoptaron los Hummel. A la señora Hummel no le gustaba el nombre de Macy, de modo que cambió la ce por una erre. La señora Hummel no era muy buena mujer. Me escapé de casa a los quince años y no he regresado desde entonces. Mary Hummel es mi nombre legal, pero mi verdadero nombre es Macy Wood.

—¿Dónde viviste cuando te escapaste?

—Casi siempre en casa de amigos. Me pasé más o menos un año saltando de sofá en sofá. Entonces, cuando mis amigos también empezaron a marcharse de casa, pasé unos cuantos meses en la calle. Ésa fue la peor época. Pero tal como dicen, siempre hay luz al final del túnel. Entonces fue cuando conocí a Jo.

Se me cayó el alma a los pies, lo cual era revelador.

—¿Joe es tu novio?

Ella sonrió.

—No. Jo es una mujer. En realidad, su verdadero nombre es Joette.

—¿Joette?

—Es lo que ocurre cuando tus padres se llaman Joe e Yvette y sólo tienen un hijo. Yo limpiaba las mesas en un restaurante de la cadena Denny's en el que ella trabajaba de camarera. Me dijo que estaba buscando una compañera de piso que contribuyera con los gastos. Sólo me cobraba veinticinco dólares al mes. Hasta que no me hice más mayor no entendí que lo único que intentaba hacer en realidad era sacarme de la calle. Al final dejé el trabajo en Denny's y vine a The Hut, pero aún vivo con Jo. Ella ha cuidado de mí desde entonces.

—Nunca hubiese imaginado que tu vida hubiera sido tan dura.

—¿Por qué?

—Porque eres tan…

—¿Normal? —sugirió.

—Iba a decir agradable.

—Son demasiadas cicatrices para reírse de las heridas —suspiró—. Bueno, ha sido más de lo que tenía pensado compartir sobre mi vida. De modo que supongo que estamos en paz.

—Suele pasar. —Al cabo de un momento le pregunté—: ¿Tienes algún otro familiar?

—Una hermana pequeña —contestó en voz baja.

—¿Y cómo le ha ido?

—No lo sé. No la he visto desde que me adoptaron.

Al cabo de un minuto pregunté:

—¿Alguna vez has pensado en intentar encontrarla?

—Unas cuantas veces. Sobre todo últimamente. He tenido sueños. Estoy en una piscina pública y oigo que una niña pequeña me llama como si se estuviera ahogando. Voy a ayudarla y entonces la señora Hummel me agarra —me miró—. No sé por qué he estado soñando esto.

—Tal vez sea una señal.

—Me lo he estado preguntando. La cuestión es que no sé por dónde empezar. O quizá es que tengo miedo de lo que podría encontrar. O no encontrar —suspiró de nuevo y miró su reloj—. Será mejor que me vaya.

Nos levantamos juntos y se detuvo en la entrada.

—Me alegro de que estés mejor.

—Gracias por venir a comprobarlo. ¿Me darías tu número de teléfono?

—Claro.

Agarré el primer trozo de papel que encontré —creo que era un folleto de los Testigos de Jehová— y ella escribió el número en el dorso.

—Te acompañaré afuera —dije.

Ya en la calle, Macy se entretuvo un momento junto al coche mientras buscaba las llaves en el bolso. Cuando las encontró, levantó la mirada, se inclinó hacia adelante y me abrazó. Cuando nos separamos, me miró a los ojos.

—Me gustaría oírte tocar la guitarra alguna vez.

—¿Estás ocupada mañana por la noche?

Ella frunció el ceño.

—Trabajo.

—¿Y qué tal el viernes?

—Esta semana tengo que trabajar todas las noches. De hecho, lo único que hago es trabajar. —Entonces se le iluminó el rostro—. Tengo una idea. Todos los jueves por la noche tenemos actuaciones en vivo. Normalmente actúa Carlos, un viejo hippy que toca la guitarra. Pero las últimas dos semanas ha estado enfermo de bronquitis o algo así. Podrías venir a tocar. Saldremos después.

—La verdad es que nunca he tocado en público —dije—. Aparte de en el concurso de talentos de segundo curso. Pero suena divertido. No salgo de trabajar hasta las siete. ¿A las siete y media estaría bien?

—Es perfecto. Tenemos equipo de sonido. Tú sólo tienes que traer la guitarra. Y te pagan diez dólares la hora más las propinas.

—Te veré allí.

—Buenas noches. —Subió al coche y me quedé allí de pie hasta que se alejó. Volví adentro asombrado por lo feliz que me hacía sentir esa chica.

CAPÍTULO

Cinco

Me he preguntado cuál es el motivo de que algunas personas
atraviesen los malos momentos amargadas y deshechas
en tanto que otras emergen siendo más fuertes y empáticas.
He leído que la misma brisa que extingue algunas llamas aviva otras.
Todavía no sé qué clase de llama soy yo.

⊠ DIARIO DE MARK SMART ⊠

3 DE DICIEMBRE DE 1974

En aquella ocasión había algo distinto. Aun cuando sólo tenía siete años, Macy había desarrollado un sentido para estas cosas. Durante el último año había entrado y salido de casas de acogida con tanta frecuencia que ya había vivido con siete familias distintas. Sin embargo, aquella vez, la liga de personas adultas tenía algo que desencadenaba unas señales de alarma en su cabeza, tan estridentes como la campana del colegio. ¿Dónde estaba su hermana pequeña?

Una mujer rechoncha y baja con cara de melón y el cabello teñido muy rubio la miró fijamente a través de una nube de humo que emanaba del cigarrillo que sujetaba con los dientes. Vestía un abrigo grueso de lana negra que le llegaba a la espinilla. La única pincelada de color la daba un broche con forma de árbol de Navidad con unas brillantes piedras preciosas de imitación rojas y verdes. La mujer posó sus ojos en ella con impasibilidad en tanto que los otros dos adultos, su padre y la funcionaria pública, parecían evitar mirarla.

Era media tarde. Macy se mecía sobre los talones y de vez en cuando propinaba unas pataditas a la nieve con sus zapatillas Converse rojas que le venían grandes.

Había tenido la sensación de que aquel día iba a suceder algo. El anterior había sido un buen día, quizás el mejor en años, y la experiencia le había demostrado que siempre había algo sospechoso en ello. Había pasado el día con su padre, los dos solos, una cita padre-hija de todo un día. Ella había preguntado dónde estaba Sissy, pero su padre dijo que era un día especial sólo para ellos. Habían ido al cine y compraron palomitas y Raisinets. Después habían ido a la tienda de todo a un dólar donde obtuvo más caprichos: una manzana de caramelo, un lápiz con una goma que era una calabaza de Halloween, una golosina en forma de corazón de San Valentín, un trébol verde; todos los días especiales del año combinados en uno. Luego su padre la había llevado a casa sobre sus hombros, cosa excepcional, puesto que cojeaba por la polio que sufrió de niño. Se habían pasado todo el día charlando y jugando, tan tranquilos, pasando por alto la pregunta que ella sabía que sería contestada con el tiempo. La vida le había enseñado que no había un buen día que no tuviera su precio.

Su padre iba vestido con la misma ropa que el día anterior: el chaleco acolchado de color habano, la camiseta manchada de aceite de motor que no ocultaba del todo los tatuajes que llevaba en la parte superior del brazo. Aun así, entonces parecía distinto.

La funcionaria del Estado le parecía un gigante —era casi una cabeza más alta que su padre— de rostro descarnado, mejillas pálidas y nariz enrojecida por el frío. Era una asistenta social y Macy ya había visto muchas. La mayoría se habían mostrado agradables o comprensivas, otras frenéticas o hartas de su trabajo, pero para Macy eran todas iguales: las acomodadoras de mundos nuevos y desagradables, alejados de los problemas de su familia.

Siempre había «problemas». Ella no entendía por qué los asistentes sociales y los padres de acogida tenían que ser parte de «sus problemas familiares». Sus problemas habían empeorado desde la muerte de su madre. Habían empeorado mucho. ¿Por qué su padre no dejaba de consumir las drogas que causaban los problemas y que hacían que esas personas vinieran? ¿Por qué los asistentes sociales no se llevaban las drogas en lugar de llevársela a ella?

La mujer alta terminó de hablar con su padre y se volvió hacia Macy; se puso en cuclillas de modo que tan sólo era un poco más alta que la pequeña.

—Macy, ésta es la señora Irene Hummel. La señora Hummel es tu nueva madre.

Macy le dirigió una mirada furtiva a la señora Hummel y luego otra a su padre, cuya expresión no cambió con las palabras de la asistenta social. «¿Madre?» Aquella mujer no se parecía a ninguna madre que ella quisiera.

—Ya tuve una madre, gracias —dijo mansamente, esperando, en contra de la experiencia, que alguna palabra suya pudiera hacer que las cosas fueran distintas.

La señora Hummel exhaló una gran bocanada de humo que ocultó su rostro brevemente.

—Eres muy afortunada —le dijo la asistenta social—. A la

mayoría de niños de más de cuatro años no los adoptan nunca. —La asistenta social volvió a levantarse y pareció aún más alta—. Es hora de despedirse.

Su padre se arrodilló junto a ella.

—¿Estás bien, colega?

Macy trató de ser valiente, pero le dolía el estómago.

—¿Qué pasa con Sissy?

—No va a ir contigo.

—¿Quién cuidará de ella?

—Estará bien.

Se le llenaron los ojos de lágrimas.

—Me necesita.

—Estará bien.

—Pero yo no quiero ir.

—Ya lo sé. —Macy vio la inutilidad en los ojos de su padre y supo qué ocurriría. Siempre ocurría tal y como decían los mayores—. Tengo una cosa para ti. Anoche te quedaste dormida antes de que pudiera dártelo. —Le tendió una caja que contenía un adorno de Navidad de cristal de un vivo color rojo. Tenía escritas en purpurina las palabras: NOEL, VEINTICINCO DE DICIEMBRE. Ella miró el regalo y se limpió la cara con los mitones.

—Es de parte de mamá —dijo él.

—Gracias. —Macy tomó la caja en sus manos.

Su padre soltó aire con fuerza y se puso de pie. Cruzó una rápida mirada con la mujer del pelo amarillo. La mujer le dijo a Macy:

—Vamos.

Macy miró a su padre y a la asistenta social esperanzada, pero ninguno de los dos la miró a ella. Así pues, cogió la bolsa de basura de plástico negro que contenía su ropa y siguió a la mujer que ya iba caminando hacia su automóvil. El coche estaba reconstruido con paneles de carrocería de al menos tres automóviles distintos, todos de colores diferentes: azul metálico pálido, marrón y verde lima. Macy abrió la puerta trasera, echó primero la bolsa en el asiento, subió al coche y se abrochó el cinturón de seguridad. Los asientos estaban rasgados en algunos sitios por los que asomaba la gomaespuma enredada en los muelles. El coche olía a tabaco a pesar del ambientador en forma de árbol que colgaba del espejo retrovisor.

La mujer puso el coche en marcha, alargó la mano y encendió la radio en una emisora de música folk. Macy volvió la vista atrás para mirar a su padre una vez más. La asistenta social le estaba hablando y él miraba al suelo. Entonces, cuando el automóvil empezó a moverse, su padre la miró a los ojos una vez y luego apartó la mirada. Y después ya no estaba. Macy cerró los ojos con fuerza e intentó que no la oyeran llorar.

Cuando llevaban diez minutos de camino la mujer bajó el volumen de la radio.

—¿Has comido?

—Sí, señora —mintió. No había comido nada desde el desayuno. La comida era un ámbito de su vida que tenía la sensación de controlar.

—Estás como un fideo.

—Sí, señora.

—Por si acaso te lo estás preguntando, tienes una hermana y dos hermanos.

Macy miró por la ventanilla en silencio. La cabeza le daba vueltas de maneras que no podía explicar. Había desarrollado mecanismos para sobrellevar el miedo y se había encerrado en sí misma, o quizá fuera de sí misma, pues tenía la sensación de estar fuera de su cuerpo, observando a esa pequeña a la que habían arrojado a un nuevo mundo aterrador. La mujer siguió chupando su cigarrillo. Ya había consumido todo el esfuerzo que iba a dedicar a la conversación.

El viaje se hizo interminable.

Al cabo de veinticinco minutos el coche pasó junto a un supermercado y torció por una calle estrecha sin salida. La segunda casa desde el final era una vivienda prefabricada pequeña con el revestimiento exterior de aluminio verde y un tejado de láminas de asbesto. El porche delantero era elevado y tenía una cubierta de aluminio. El ventanal que había a un lado del porche estaba roto y había un trozo de cartón pegado con cinta adhesiva por la parte interior. El patio estaba lleno de maleza y a un lado de la casa había algunos automóviles en diferentes estados de canibalización. Mientras recorrían el camino de entrada, la mujer dijo:

—Ésta es tu nueva casa.

—Es muy bonita —comentó Macy. Había aprendido a decirlo siempre porque los mayores se ponían contentos. Sin embargo, no supo si sus palabras habían causado algún efecto en Irene Hummel.

La mujer apagó el motor y abrió la puerta. Tiró la colilla al suelo y bajó del vehículo.

—Coge tus cosas.

—Sí, señora.

Macy la siguió hasta el porche delantero. A la puerta exterior de aluminio le faltaba un panel. Encima del timbre había un letrero de cartón en el que se leía NO FUNCIONA. Estaba pegado al marco de madera con una tirita de color carne. La puerta tenía unos garabatos hechos con lápices de colores.

La mujer abrió la puerta y gritó:

—Ya estamos de vuelta —y entró.

Macy la siguió y pasó a un vestíbulo con el suelo de vinilo imitación parquet. El salón era pequeño y el suelo estaba cubierto por una alfombra de color tabaco. La habitación olía de un modo peculiar, como a perro, aunque el hedor pegajoso de los cigarrillos disimulaba en gran medida ese olor. En un rincón de la habitación había un árbol de Navidad colocado sobre un tapete de fieltro rojo y decorado con adornos vistosos y ristras de palomitas, cosa que, a pesar de todo lo demás, hizo feliz a Macy. Quizá también le dejaran colgar su adorno nuevo en el árbol.

Una niña y dos niños entraron corriendo en la habitación. La niña era robusta, algo menor que Macy, y se parecía a la mujer. Detrás de ella había un niño que parecía tener la misma edad que Macy y otro unos años mayor. Todos ellos la miraban como si fuera una nueva especie de animal. Por un momento nadie habló. Entonces la niña dijo:

—Ésta no es Buffy.

La mujer se quitó el abrigo y lo colgó de una percha.

—Ya te dije que a Buffy ya se la habían quedado.

Macy iba pasando la mirada de la una a la otra.«¿Quién era Buffy?»

—Yo quería a Buffy.

—Pues tendrás que conformarte con ella.

—¿Cómo se llama? —preguntó el mayor.

—Soy Macy —respondió ella intentando mostrarse alegre.

—Es un nombre estúpido —afirmó el niño menor.

—No tanto como Buffy —replicó el mayor, riéndose—. «Baaaaaffiiii» —dijo, burlándose de su hermana.

—Dijiste que podría tener a Buffy por Navidad —gimoteó la niña.

—Cállate ya —dijo la mujer—. Buffy ya no está. Se la quedó otra persona.

—¿Cómo os llamáis? —preguntó Macy.

—Bart —dijo el mayor—. Éste es Ronny y ella es Sheryl.

—Hola, chicos —saludó Macy alegremente.

Nadie le respondió. En aquel momento entró un perro en la habitación. Era un perro enorme —a Macy le pareció gigantesco— de pelaje pinto en tonos castaños cuya cabeza daba la sensación de ser incómodamente grande para su cuerpo. Se detuvo al ver a Macy y de su garganta brotó un gruñido grave y feroz.

Macy retrocedió un paso. Los perros le daban miedo. Sobre todo aquél.

—A *Buster* no le gustan las personas nuevas —anunció Bart.

—Cómetela, *Buster* —dijo Ronny.

La niña se quedó paralizada de miedo. El perro echó las orejas hacia atrás y ladró tan fuerte que a Macy le dolieron los oídos.

—Llévate a este perro de aquí —gritó la mujer dirigiéndose a Bart.

—Es un pitbull —dijo éste a Macy—. Los llaman así porque están hechos para pelearse en el reñidero. Podría matarte en un segundo.

—¡He dicho que te lo lleves! Y limpia la caca que ha dejado en el porche trasero.

—No me toca a mí.

—Me da igual a quién le toque, te he dicho que lo hagas.

—Que lo haga la nueva —terció Ronny.

—Sí —dijo Bart dirigiéndose a Macy—. Éste es tu nuevo trabajo, limpiar lo que ensucie *Buster*.

—¡Hazlo ya! —chilló la mujer.

Bart refunfuñó, agarró al perro por el collar y empezó a tirar de él.

—Vamos, *Buster*.

La mujer se volvió hacia Sheryl.

—Y ahora enséñale el dormitorio.

La niña se cruzó de brazos con actitud desafiante.

—No puede dormir en mi habitación.

La mujer le lanzó una mirada furibunda que hizo que la pequeña se encogiera.

—Vale, está bien… —dijo Sheryl.

La señora Hummel salió de la habitación. Sheryl se dirigió a Macy con el rostro crispado de furia y derrota.

—Vamos.

Macy volvió la mirada hacia la puerta de entrada. Podía escapar de esas personas feas y malas, pero ¿adónde iría? No tenía ni idea de dónde estaba. Cogió su bolsa de plástico.

—¿Por qué llevas una bolsa de basura? —preguntó Ronny.

—No te importa —repuso Macy.

El niño miró su adorno.

—¿Qué llevas en la mano?

—No te importa.

Se acercó a ella.

—Dámelo.

Macy lo miró a los ojos. Dejó caer la bolsa al suelo y apretó el puño.

—Tú tócalo y del puñetazo que te arreo llegarás a mañana.

Ronny se detuvo, dudando si la niña podría hacer lo que decía, pero seguro de que lo intentaría. Macy se había peleado con niños mayores que ella. Niños de los centros de rehabilitación para drogadictos que querían hacerles cosas a ella o a su hermana. Algunas de esas peleas las había ganado, o al menos había causado bastante alboroto como para impedirlas. Sin embargo, en ocasiones había perdido y ellos hicieron lo que quisieron. Nunca se había sentido más vulnerable que estando bajo la «protección» del Estado.

Ronny salió de la habitación, avergonzado por haberse echado atrás. Macy siguió a Sheryl al dormitorio. El cuarto era una caja de cerillas abarrotada de cosas, con el suelo lleno de ropa desparramada y pedazos de gomaespuma de un cojín con el que el perro la había emprendido. En una esquina de la habitación había una litera.

—Tú duermes arriba. A menos que mojes la cama. ¿Mojas la cama?

—No.

—Más te vale.

Sheryl salió de la habitación. Macy arrojó la bolsa en la litera de arriba y recorrió el lugar con la mirada en busca de un sitio en el que esconder su adorno. Otro mundo, otra incertidumbre. Había una cosa de lo que no le cabía la menor duda: se marcharía de allí en cuanto tuviera oportunidad.

CAPÍTULO

Seis

Macy ha decidido encontrar a su hermana,
lo cual podría resultar un tanto difícil
en vista de que ni siquiera recuerda su nombre.
Tengo la sensación de que me veré implicado
de algún modo en sus andanzas.
No me imagino mejor compañera de viaje.

⊠ DIARIO DE MARK SMART ⊠

Me presenté en The Hut minutos antes de las siete. Aparqué junto al coche de Macy, en la parte de atrás, y entré por el acceso de servicio, una puerta metálica de color negro decorada con pegatinas de parachoques. Llevaba la guitarra colgando a la espalda, con la correa de un vivo color amarillo cruzada sobre mi pecho. Macy me había estado esperando y sonrió al verme. Me tomó de la mano y me condujo al mismo despacho desde el que había llamado por teléfono. En aquella ocasión la mesa estaba ocupada por un hombre de unos cuarenta y cinco años que empezaba a quedarse calvo.

—Jeff, éste es Mark.

Jeff me miró.

—Un placer —dijo con fría cordialidad—. Esta noche tienes mucho público.

—Gracias por dejarme tocar.

—Ya puedes dármelas —repuso—. ¿Te sabes alguna canción navideña?

—Con la guitarra no.

—Quizá podrías aprender algunas. —Volvió a concentrarse en su calculadora.

Macy me acompañó afuera.

—¿Canciones navideñas? —comenté.

—Intenta estimular las ventas de regalos para las fiestas. Alégrate de que no te preguntara si sabías tocar el tema de *La guerra de las galaxias*.

—Me alegro por todos nosotros.

En un rincón del establecimiento había un taburete tapizado de vinilo colocado frente a un pie de micrófono cromado. El micro estaba conectado a un amplificador del tamaño de una maleta pequeña. El amplificador tenía un piloto de color ámbar iluminado.

—Tengo una cosa para ti. —Macy cogió una tarjeta de una mesa cercana. La leí:

Clases de guitarra con Mark Smart
Precios razonables
Llamen al 445-3989

—Supuse que tus precios serían razonables. Si no, puedes añadir «poco» delante de «razonables». Puse mi número hasta que tengas teléfono.

Su amabilidad volvió a llenarme de asombro.

—Gracias.

—Si necesitas alguna otra cosa, dímelo. Déjanos boquiabiertos.

Regresó detrás del mostrador mientras yo sacaba mi guitarra del estuche, que dejé abierto por si querían echarme propinas. Cuando me pareció que nadie miraba dejé un billete de cinco dólares. Para animar la cosa.

Me senté a horcajadas en el taburete de vinilo. Casi todos los asientos de la cafetería estaban ocupados y todo el mundo parecía estar contento con su conversación, ajeno a mi presencia. Tuve la sensación de estar importunando. Quizá me darían propina para que no tocara.

Ajusté el pie cromado y di unos golpecitos al micrófono. Estaba apagado. Encontré el interruptor y lo conecté. La respuesta fue inmediata, un chirrido estridente que dejó el lugar paralizado, como el sonido amplificado de unas uñas arañando una pizarra. Me lancé sobre el micro para apagarlo y en el proceso estuve a punto de tirar la guitarra al suelo. Si mi intención era ser discreto, la había cagado. Miré hacia el mostrador y Macy sonreía.

Coloqué el micrófono a una distancia prudencial del amplificador, deslicé los dedos sobre unas cuantas cuerdas silenciosas, empecé a tocar suavemente hasta que sonó bien y comencé una canción. Al principio algunos de los clientes me miraron, pero volvieron rápidamente a sus cafés y a sus conversaciones. Mi primera canción, una de James Taylor, recibió un aplauso educado. «Al menos nadie me tiró nada.» Toqué otras dos canciones y con cada una de ellas atraje a unos cuantos clientes más. Al cabo de una media hora me sentí lo bastante seguro como para dirigirme al público.

—Me gustaría tocar un tema que he compuesto yo. Es una canción para mi madre.

Algunas de las personas sentadas en las mesas más próximas dieron la vuelta a la silla hacia mí. Toqué la canción que Macy me había oído practicar cuando vino a mi apartamento. Esta vez, cuando terminé, todos los presentes aplaudieron. Levanté la mirada y vi que hasta los empleados estaban mirando. Macy me dirigió un gesto de aprobación. Un par de mujeres, una rubia y otra pelirroja, se levantaron para marcharse, pero antes de hacerlo se acercaron a mí. La rubia echó tres billetes de dólar en el estuche.

—Ha estado muy bien —me dijo.

—Sí —comentó la otra—. ¿Vas a venir el jueves próximo?

—No lo sé. Sólo estoy de suplente.

—Ya lo sabemos —repuso la rubia—. Somos clientes habituales. Esperamos que vuelvas.

—He estado pensando en tomar clases de guitarra —terció la pelirroja—. ¿Admites nuevos alumnos?

—Pues claro que sí —afirmó la rubia—. ¿Si no por qué la tarjeta en la que se anuncia?

—Si me da su número la llamaré y podemos quedar para una clase.

La mujer anotó su número de teléfono en una servilleta y me la entregó.

—Estaba esperando que le pidieras el número —me dijo la rubia.

—Vas a tener que regresar a casa andando —la pelirroja amenazó a su amiga. Entonces se volvió de nuevo hacia mí—. Gracias.

—De nada.

Salieron de la cafetería.

Al final de la noche el fondo del estuche de mi guitarra estaba cubierto de billetes y monedas de plata. Había agotado mi repertorio y estaba tocando las mismas canciones que al principio, pero el lugar ya se había quedado prácticamente vacío, salvo por Macy y una mujer que había en la barra. A media noche Macy cerró las puertas, yo guardé la guitarra, conté las propinas y metí el montón de billetes en el bolsillo de mi abrigo. Cuando ella terminó de limpiar, vino a sentarse a mi lado y me trajo una taza de chocolate caliente con nata montada.

—Le has gustado a todo el mundo —dijo—. Hasta Jeff se ha quedado impresionado. Dijo que puedes volver.

—Me encantaría.

—¿Qué tal te ha ido con las propinas?

—Casi cincuenta dólares.

—Eso está muy bien. Creo que Carlos suele sacarse unos veinte, más o menos.

—Me parece que a la gente no le gusta Carlos.

—No. Ya hace unos veinte años que dejó atrás su apogeo. Tú eres un buen sustituto.

—Y dos personas me preguntaron por las clases.

—No me sorprende. Es por mi tarjeta. Era… persuasiva.

—Era persuasiva —me reí—. ¿Puedo invitarte a cenar?

—¿Y qué tal a desayunar? Me muero de ganas de comer tortitas.

—Pues que sean tortitas.

—Condujimos hasta un restaurante IHOP cercano. Yo pedí patatas fritas y Macy un montón grande de tortitas color crema que bañó en un mar de jarabe de arce. Resultaba gracioso ver que una persona tan menuda tenía tanto apetito.

—He estado pensando mucho en lo que dijiste el otro día —dijo—. Voy a hacerlo.

—¿Vas a hacer qué?

—Buscar a mi hermana.

—Estupendo. ¿Por dónde empezarás?

—Esta mañana he llamado a la DCFS. Tengo una cita con un asistente social mañana a las diez.

—¿Qué es la DCFS?

—La División de Servicios del Niño y de la Familia. Son los que se me llevaron de casa. —Bajó la mirada y cortó un pedazo de tortita—. ¿Sabes qué es lo que más rabia me da? Me da rabia no poder acordarme de su nombre. —Meneó la cabeza enérgicamente—. No recuerdo el nombre de mi propia hermana. —Se llevó el tenedor a la boca.

—Quizá sea por alguna razón —sugerí.

—¿Como por ejemplo que sólo tenía siete años?

—O tal vez la separación fue tan traumática que lo borraste de la mente. Hice un trabajo sobre el tema en el instituto. Se llama represión. Cuanto más traumática es la experiencia, más probable es que ocurra.

Ella terminó de masticar y comentó:

—Tendrías que ser psiquiatra.

—Tengo demasiados problemas.

—Todos los psiquiatras tienen problemas. ¿Por qué crees que se hacen psiquiatras si no?

Terminamos de comer, pagué la cuenta y fuimos a buscar nuestros coches. Habíamos venido por separado, de modo que nos despedimos en el aparcamiento.

—Gracias por el desayuno.

—Gracias por todo lo que hiciste por mí esta noche. Ha sido muy divertido. No sé cómo corresponderte.

—Debería obligarte a que me dieras una parte de tus propinas —repuso con una sonrisa—, pero me conformaré con un descuento en las clases de guitarra.

—Para ti serán gratis.

—No, tienes que cobrarme algo.

—No, no te cobraré.

—Insisto.

—En tal caso, puedes pagarme con chocolate caliente.

—¿Qué tal si una vez a la semana te hago la comida y después damos la clase?

—Me parece justo.

—Bueno, no estés tan seguro. No sabes cómo cocino.

—Seguro que mejor que yo.

Macy sonrió.

—Pues tenemos un trato.

—Te llamaré mañana.

—Lo estaré esperando. Buenas noches.

Nos abrazamos. Al separarnos, le dije:

—Dime una cosa.

—¿Sí?

—¿Por qué regresaste para ver cómo estaba?

Pensó en ello.

—No lo sé. Simplemente me caíste bien. Y además eres muy mono. —Sonrió y entró en su coche—. Mañana hablamos.

Aguardé a que se hubiera alejado antes de poner el coche en marcha. Sólo hacía cuatro días que la conocía y ya me estaba enamorando de ella.

CAPÍTULO

Siete

Cuando se trata de hacer daño a los niños,
no podemos alegar desconocimiento.
Todos los adultos que he conocido han sido niños alguna vez.
Y algunos de ellos se han vuelto más niños aún.

🗙 DIARIO DE MARK SMART 🗙

30 DE NOVIEMBRE DE 1975

Macy estaba sentada en el asiento trasero del coche, apretujada contra la puerta. Llevaba puesto un vestido de Navidad de cuadros escoceses rojos y verdes con mangas abombadas y falda acampanada. Era la primera vez que llevaba vestido desde que había ido a vivir con los Hummel. También era la primera vez que la señora Hummel se había interesado por el aspecto de Macy. Le había frotado las mejillas con tanta fuerza que todavía las tenía rojas.

Los cuatro niños iban en el asiento trasero del Dodge Charger, todos ataviados con lo que Irene Hummel denominaba la «ropa del oficio de los domingos», lo cual era extraño, puesto que los domingos nunca iban a ninguna parte, ni al oficio de la iglesia ni a ningún otro sitio. Para Macy, era como si estuvieran haciendo teatro y aquéllos fueran los disfraces.

El padre adoptivo de Macy, Dick, conducía. Dick Hummel era panadero en un supermercado de tamaño medio. Era un hombre tranquilo, mesurado y frío y la única persona con la que ella se llevaba bien en casa. Macy tenía la sensación de que el hombre la compadecía…, o quizá se compadeciera de ambos. Pese a la diferencia de edad, entre ellos surgió una camaradería peculiar no muy distinta de la que se forja entre las víctimas de cualquier desastre.

Por desgracia, casi nunca estaba en casa. Macy no lo culpaba por pasar tanto tiempo fuera. Si pudiera elegir, ella tampoco se quedaría. Una vez le preguntó a Dick si podía ir a trabajar con él, pero la señora Hummel se lo prohibió.

—No es más que una estratagema para librarse de sus tareas —dijo. La señora Hummel siempre se comportaba de una manera extraña cuando Macy pasaba tiempo con Dick.

De pronto los pensamientos de la niña quedaron interrumpidos por el codazo que recibió en el costado.

—Si el juez me pregunta, le diré que no te queremos —afirmó Bart.

—Yo también —terció Sheryl.

Macy se volvió de nuevo hacia la ventana.

—Por mí estupendo —dijo.

Cuando entraron en el juzgado, la asistenta social que la había alejado de su padre estaba allí para recibirla. Macy no la había visto desde hacía casi un año, desde que la había enviado a vivir con los Hummel. En aquella ocasión actuó con tanta confianza como si fuera de la familia. «Más teatro.»

—Tienes un aspecto estupendo —le dijo a Macy con una sonrisa de oreja a oreja—. ¡Qué día tan especial! Eres muy afortunada.

«Esta palabra debe de tener otro significado que desconozco», pensó Macy. Entonces tuvo una idea esperanzadora. Quizás el juez le preguntara si quería que la adoptaran. Ella le contaría que todos la trataban mal. Que la señora Hummel le gritaba continuamente, que a veces le pegaba una bofetada y que la hacía trabajar más que a los demás. Quizás entonces la dejarían volver con su padre.

—Tenemos una sorpresa para ti —anunció la asistenta social con una amplia sonrisa—. Van a adoptar a tu hermana contigo.

A Macy le dio un vuelco el corazón. Por fin sucedía algo bueno en su vida.

—¿Quiere decir que vamos a vivir juntas?

La sonrisa de la mujer desapareció.

—No. Lo que quiero decir es que la van a adoptar al mismo tiempo. Creímos que te gustaría saberlo.

Al cabo de diez minutos la hermana pequeña de Macy entró en la habitación. Iba de punta en blanco, con un vestido de terciopelo azul marino, el cabello perfectamente peinado y sujeto hacia atrás con una cinta de seda. Iba flanqueada por dos niños bien educados, vestidos con unos trajes azul marino a juego y corbatas de clip. Parecían réplicas en pequeño de su padre, un hombre apuesto y bien vestido con traje azul marino de raya diplomática, camisa blanca recién planchada y corbata de seda.

Noel lanzó un grito al ver a su hermana.

—¡Macy! —exclamó—. ¡Macy, Macy! —Corrieron la una hacia la otra y chocaron en el centro de la habitación. Los Hummel y los padres de Noel, los Thorup, guardaron las distancias, sentados en extremos opuestos del vestíbulo. A Noel le había costado mucho afrontar la ausencia de Macy y un psicólogo infantil sugirió a los Thorup que permitieran que las dos niñas pasaran algún tiempo juntas. La señora Thorup se puso en contacto con la señora Hummel para discutir la situación y lo que empezó como una sencilla petición terminó en una pelea a gritos entre las dos mujeres. La señora Hummel no iba a permitir que Macy viera a su hermana. La mutua antipatía que se tenían las familias era patente.

—No te vayas —dijo Noel. Macy la abrazó con fuerza, ambas ajenas a los adultos que las observaban desde ambos extremos de la estancia.

—No me iré, Sissy.

Las dos pequeñas se sentaron juntas en el suelo embaldosado y durante ese rato todo fue bien en el mundo, Macy hacía muecas y Noel se reía.

Al cabo de veinte minutos la asistenta social entró en la habitación. Se dirigió al señor y la señora Hummel:

—El juez está listo para recibirles.

La mujer se levantó de su asiento de golpe, con impaciencia, caminó hacia Macy y le puso las manos en los hombros.

—Vamos —le dijo.

Macy miró a su hermana y empezó a llorar.

—No quiero ir.

—¡No, no, no! —gritó Noel a la señora Hummel—. Es mi Macy. ¡No puede llevársela!

El señor Thorup se acercó para llevarse a Noel.

—Vamos, cariño. Ahora Macy tiene que marcharse.

Noel lanzó un chillido desgarrador.

—¡No! ¡No te vayas! —Agarró con fuerza a Macy de la cintura—. ¡No te vayas! ¡No te vayas!

Irene Hummel miró al hombre como si la situación fuera culpa suya.

—Tenemos que irnos —dijo—. Controle a su hija.

El hombre le dirigió una mirada fulminante.

—Déjela en paz, señora. Son hermanas. —Levantó suavemente a Noel por el talle—. Vamos, cariño.

—¡Macy! ¡Macy! ¡No te vayas!

Macy se echó a llorar.

—No quiero irme.

El señor Thorup tiró de Noel, pero ella se agarró con más desesperación si cabe a las faldas de Macy. El hombre estaba en el centro de la habitación, incómodo, sosteniendo horizontalmente a la niña cuyos gritos se oían por todo el piso y los empleados municipales se asomaron por las puertas de sus despachos para ver el alboroto.

—Amordace a esa mocosa —gritó Irene.

—A usted sí que tendrían que amordazarla —replicó el hombre entre dientes.

La señora Thorup se acercó, le lanzó una mirada fulminante a la señora Hummel y arrancó suavemente los dedos de Noel del vestido de Macy. Noel chilló más fuerte aún al tiempo que trataba desesperadamente de agarrarse a su hermana. En cuanto Macy quedó libre de Noel, Irene se la llevó y la empujó hacia el despacho del juez mientras que la hermana pequeña, contenida por su padre, gritaba y agitaba los brazos con furia.

—¡Suéltame! ¡Suéltame! ¡Quiero a Macy! ¡Quiero a Macy!

Ésta seguía lloriqueando cuando llegaron a la puerta. Irene Hummel le clavó las uñas en el hombro.

—Deja de llorar.

Al entrar en la habitación revestida con paneles de caoba, la tristeza de Macy se convirtió rápidamente en miedo. La audiencia no iba a celebrarse en la sala del tribunal, sino en el despacho del juez, que era más privado. El juez no llevaba toga, sino una camisa blanca recién planchada y una corbata de un vivo color azul con estampado de veleros amarillos y rojos. Parecía un buen hombre y tenía fotografías de sus hijos y nietos colocadas estratégicamente por su despacho. Sonrió a Macy con simpatía y ella supo que le gustaban los niños. Él lo entenderá, pensó la pequeña. «Si es que tenía oportunidad de contar su versión.»

La señora Hummel tomó asiento detrás de ella y sus rodillas tocaban el respaldo de su silla.

El juez la miró por encima de la mesa mientras daba unos suaves golpecitos con su bolígrafo dorado en el cartapacio de cuero.

—Hola, Macy.

—Hola —respondió ella con timidez. Su miedo aumentó. Le entraron ganas de esconderse. Quería que volviera su hermana.

El juez se inclinó hacia delante y la miró fijamente sólo a ella.

—¿Sabes por qué estás aquí?

Presionada por sus ojos oscuros, Macy se limitó a asentir con la cabeza.

—Estamos aquí porque a la familia Hummel le gustaría adoptarte. ¿Sabes lo que significa la adopción?

«Significa que tienes que ir a un lugar al que no quieres ir», pensó Macy. Asintió nuevamente. Los sonidos ambientales de la habitación aumentaron de volumen y apagaron todo lo demás —el reloj dorado con cúpula de cristal del estante, el gruñido de las tripas de la señora Hummel—, el juez hablaba y ella oía palabras sueltas, como ocurre al sintonizar una radio.

—¿Sabes… cambiar el apellido? ¿… ya no… Macy Wood… Hummel?

Entonces Macy ya no oyó nada en absoluto. La voz se convirtió en una cantinela autoritaria que la mantenía pegada al suelo como la gravedad. Abrió más los ojos y la magnitud del momento la engulló, por lo que se agarró con fuerza a la silla. Luego todo se detuvo bruscamente. Todo el mundo la estaba mirando.

—¿Te parece bien? —preguntó el juez con dulzura. Asintió al hablar y Macy, con unos ojos como platos y temblando, imitó su movimiento. ¿Es que no sabía que tenía miedo? ¿No se daba cuenta de que los Hummel eran mala gente?

Todo terminó con la misma rapidez con la que había empezado. Hubo felicitaciones y sonrisas. Todos parecían estar contentos. Al salir, Macy vio a su hermana. Se estaba comiendo una piruleta de espaldas a la puerta.

—Sissy.

Noel se dio la vuelta y la señora Thorup la rodeó con el brazo rápidamente para retenerla. La niña empezó a llorar otra vez.

—No te vayas.

A Macy le tembló el labio.

—¿Dónde tienes el corazón, Sissy?

—Macy —gimió Noel. Intentó soltarse a la fuerza de la señora Thorup—. ¡Suéltame!

—Sissy —repitió Macy—, ¿dónde tienes el corazón?

Noel dejó de forcejear y se llevó la mano al pecho.

—Guárdame ahí —dijo la niña.

El que pronto sería padre de Noel la cogió en brazos para entrar con ella en la habitación y Macy se marchó arrastrando los pies con el resto de los Hummel. Sabía que nunca volvería a ver a Sissy.

Los seis miembros de la familia Hummel salieron a tomar un helado para celebrarlo. Macy tomó una sola bola de helado de menta con trocitos de chocolate.

CAPÍTULO

Ocho

*No hay compasión ni sentido común
que no pueda extinguir la burocracia gubernamental.*

☒ DIARIO DE MARK SMART ☒

Hacía más de cinco años que Macy no hablaba con ningún funcionario del Estado. La última asistenta social que había visto se había retirado hacía dos años y la empleada de la oficina del DCFS la remitió a la mujer que se había hecho cargo de casi todos sus casos, una mujer de mediana edad llamada Andrea Bellamy.

Macy se había puesto elegante para la cita. Vestía un conjunto que le había prestado su compañera de habitación, una falda y chaqueta de color rosa a juego con una blusa blanca plisada. Quería que la asistenta social supiera que allí donde el Estado había fracasado, ella había tenido éxito. Llevaba incluso bolso, lo que para ella era un símbolo de respetabilidad y estabilidad.

La asistenta social era una mujer corpulenta de cabello entrecano y ojos brillantes que llevaba mucho maquillaje. Recibió a Macy en el vestíbulo.

—Hola, soy Andrea.

—Yo soy Macy. Encantada de conocerla.

—Igualmente —repuso la mujer—. Ten la bondad de seguirme.

Andrea la condujo por un pasillo que daba a un laberinto de cubículos acolchados con tela hasta una pequeña sala de reuniones. Indicó a Macy que se sentara en una silla en tanto que ella tomó asiento enfrente y puso una carpeta grande sobre la mesa entre las dos. En el apretado programa de un asistente social rara vez había tiempo para formalidades y Andrea Bellamy fue rápidamente al grano.

—Ayer consulté tu expediente. Tardé un poco en encontrarlo debido a tu cambio de nombre.

—Sí, señora.

—Según dice tu historial, fuiste adoptada a la edad de ocho años por Dick e Irene Hummel. A tu hermana pequeña la adoptó otra familia el mismo día.

—Es correcto. Sólo necesito saber dónde está.

La mujer la miró con estoicismo.

—Me gustaría ayudarte con eso, pero desgraciadamente el juez ordenó que se sellara su expediente.

Macy la miró con desconcierto.

—¿Que se sellara?

—Significa que no puedo darte ninguna información sobre ella sin una orden judicial.

—¿Y cómo puedo conseguir una?

—En un caso como éste, es probable que no puedas.

—¿Qué quiere decir?

—En los siete años que llevo aquí nunca he visto que sucediera.

—Pero tengo derecho a ver a mi hermana, ¿no?

—Este derecho queda invalidado por el derecho a la privacidad suyo y de sus padres adoptivos.

—¿Por qué iba a querer mi hermana ejercer este derecho conmigo?

La mujer no respondió.

—¿Podría decirme su nombre?

—¿No recuerdas cómo se llama?

Macy negó con la cabeza.

—Lo he olvidado.

—Lo lamento, pero no puedo contarte nada.

Macy apoyó la cabeza en la palma de la mano.

—¿Hay alguna manera de cambiar esto?

—Sólo si tu hermana decide que quiere verte y presenta una petición formal. Ahora tengo tu teléfono y dirección, de modo que me pondré en contacto contigo si eso ocurre.

—Pero es que puede que ni siquiera se acuerde de mí. Sólo tenía cuatro años cuando nos separamos.

La mujer la miró con aire comprensivo.

—Lo siento, de verdad. Ojalá pudiera serte de más ayuda, pero así es la ley.

Macy respondió con voz agudizada por el enojo:

—Pero ella es mi hermana. No tuvimos elección… —Miró a la mujer a los ojos—. ¿Cómo puede ser que unos completos desconocidos tomen esa decisión por nosotras?

De nuevo, la mujer no dijo nada.

—¿Le parece justo?

—No, no me parece justo. Pero estamos obligados a acatar la ley y, en ocasiones, la ley y la «justicia» son dos cosas distintas.

Al cabo de un momento Macy señaló la carpeta que estaba entre las dos.

—¿Puedo ver mi expediente?

—Tampoco puedo enseñártelo.

—¿No puedo ver mi propio expediente?

—Me temo que no. Aquí hay información sobre tus padres biológicos que también ha sido sellada.

—Entonces no tengo a dónde dirigirme.

—Me temo que no.

Macy se debatió entre romper a llorar o montar en cólera.

—¿Y si alguien le dijera que no puede volver a ver nunca más a su familia?

—No he dicho que sea justo, Macy. Sólo que así es la ley.

—Pues es una mala ley. ¿No puede ayudarme de alguna forma? Estamos hablando de mi vida…, de mi hermana.

La mujer se limitó a quedársela mirando.

—Ojalá pudiera ayudarte. Lamento no poder hacerlo, de verdad.

A Macy se le llenaron los ojos de lágrimas. De pronto se oyó un aviso por el sistema de telefonía de la oficina: «Andrea Bellamy, tiene una llamada por la línea cinco».

—Tengo que atender esa llamada —dijo la mujer en tono de disculpa. Dirigió la mirada hacia el teléfono que estaba en una esquina de la habitación y la volvió de nuevo hacia Macy. Adoptó una expresión pensativa—. Creo que cogeré la llamada en mi despacho. —Sus ojos se posaron en la carpeta situada entre las dos. Macy miró la carpeta, levantó la vista hacia los ojos de la mujer y lo entendió.

—Puede que tarde unos cinco minutos.

—¿No tendría papel y bolígrafo?

Andrea sacó un bolígrafo de plástico de su maletín y se lo tendió.

—Hay un bloc de notas junto al teléfono. —Se dirigió hacia la puerta y la dejó mirando fijamente la carpeta de la mesa. Se dio la vuelta una vez más—. Cinco minutos.

—Gracias —dijo Macy.

—¿De qué? —repuso Andrea Bellamy—. Como ya te he dicho, no puedo ayudarte. —Cerró la puerta al salir.

Macy agarró la carpeta y empezó a hojear su contenido. Tenía un grosor de más de un centímetro y contenía un informe completo de todas los hogares de acogida por los que había pasado. Había un perfil psicológico suyo que no tenía tiempo de leer, de manera que lo dobló y se lo metió en el bolso. Encontró un informe en el que constaba el nombre de su padre y una dirección. Fue a buscar el bloc y copió la información sobre su padre.

Cuando Andrea regresó, Macy ya estaba saliendo del edificio.

CAPÍTULO

Nueve

Le he dado vueltas a la frase:
«El infierno está lleno de buenas intenciones».
¿Esto significa que las personas tienen buenos propósitos,
pero nunca los realizan? ¿O que hacen cosas buenas
con malos resultados? Supongo que no tiene mucha importancia.
Sea como sea, no se hace lo adecuado.

⊠ DIARIO DE MARK SMART ⊠

17 DE AGOSTO DE 1978

Cada dos meses, Irene Hummel iba a que la peinara Sadie, una prima suya que vivía a una hora de distancia hacia el sur, en la pequeña ciudad de Nephi. Macy esperaba con impaciencia esos días porque siempre la dejaban en casa de su tía Stephanie. A Macy le gustaba ir allí. La tía Stephanie vivía en el campo. Tenía un jardín secreto y un gato grande y gris llamado *Tabitha*. La tía Stephanie le preparaba sándwiches de miel y mantequilla y sopa de tomate Campbell's con un montón de galletas saladas. Guardaba pastelillos Twinkies en el congelador, y por la tarde sacaban uno y se lo comían con el relleno aún frío. Ella era la única que la seguía llamando Macy. Macy McGracy.

En casa de los Hummel las cosas habían seguido empeorando para la niña. Un sábado por la tarde, el señor Hummel hizo las maletas y se marchó para siempre. Poco después, la señora Hummel empezó a pegar a Macy casi a diario. Aquella mañana, mientras iba sentada en silencio en el asiento trasero del coche de camino a casa de la tía Stephanie, a la chica se le ocurrió una idea. Tal vez si le contara a la tía Stephanie lo de la señora Hummel, la invitaría a vivir con ella. Parecía razonable. La tía Stephanie siempre le decía lo mucho que le gustaba tenerla en casa. Aun así, Macy tardó todo el día en reunir el coraje necesario para contárselo. Su tía estaba sentada en la sala de estar cosiendo un edredón cuando ella entró en la habitación caminando lentamente. La mujer la miró y sonrió.

—¿Qué haces, tesoro?

—Nada.

Siguió trabajando en el edredón. De repente Macy lo soltó:

—La señora Hummel me pega.

La tía Stephanie se volvió a mirarla.

—¿Qué has dicho, cielo?

—Que la señora Hummel me pega.

—No, tu mamá nunca te pegaría. Seguramente te dará un cachete de vez en cuando.

—Me pega todos los días. A veces en la cara.

La tía Stephanie dejó de coser y la miró.

—¿De verdad?

Macy asintió con la cabeza.

—Ajá.

Por un momento pareció no saber qué decir.

—Bueno, entonces tendré que hablar con ella.

A Macy se le heló la sangre.

—No se lo diga, por favor.

—Si te pega, alguien tiene que hablar con ella. No podemos consentir que siga ocurriendo semejante disparate. Ahora vete mientras llamo.

Macy salió de la habitación casi paralizada de miedo. Lamentaba desesperadamente habérselo contado a su tía.

La señora Hummel pasó a buscarla al cabo de tres horas.

—Buenas noches, Macy McGracy —le dijo tía Stephanie cuando salía de la casa—. Vuelve pronto.

—Buenas noches —respondió Macy.

Subió al coche con el mismo aire sombrío que un condenado subiendo al patíbulo. Le daba miedo mirar a la señora Hummel, pero ella actuaba como si no pasara nada. «Quizá la tía Stephanie se olvidó de llamar», confió la niña. Cuando llegaron al camino de entrada, ya había anochecido. Macy entró en casa seguida por la señora Hummel.

En cuanto se cerró la puerta de la calle, una mano la sujetó por la nuca.

—De modo que te pego, ¿eh? —dijo.

Macy no era tan tonta como para responder. Retrocedió hasta arrimarse a la pared y miró a su madre muerta de miedo.

—Te pego por mala. La culpa es tuya. Es culpa tuya ser una niña tan horrible. Nunca deberíamos haberte traído a esta familia. Desde que llegaste no ha habido más que problemas. —Le propinó un cachete en la coronilla—. Dick se marchó por tu culpa. Por todos los problemas que causas.

Macy se quedó quieta, cuidándose mucho de hacer nada que pudiera avivar la ferocidad de aquella mujer.

—¿Conque te pego, eh, mocosa? Tú no sabes lo que es pegar. Esto es pegar. —Le asestó un bofetón en un lado de la cara y Macy cayó contra la pared. Un fino hilo de sangre se deslizó desde la nariz hasta la barbilla—. Y esto también. Y esto…

Macy hizo todo lo que pudo para protegerse del aluvión de golpes, pero se le venían encima con demasiada rapidez, a diestro y siniestro. La paliza continuó durante otros cinco minutos hasta que la señora Hummel se agotó y se quedó de pie junto a ella, jadeando, con una mirada salvaje y cruel. Macy se hallaba desplomada en el suelo, protegiéndose lo mejor que podía y temerosa de mirar a la mujer a los ojos.

—Lo siento —gimoteó quedamente.

—Sí, ahora lo sientes.

El golpe de gracia de la señora Hummel fue una patada en el costado, pero no fue muy fuerte. Ya no le quedaban muchas fuerzas.

—¡Mocosa estúpida! Si alguna vez le cuentas a alguien más que te pego, me lo dirán igual que hizo Stephanie. Entonces te enseñaré lo que es pegar de verdad.

Macy se sorbió la nariz.

—No diré nada.

—¡Ya lo creo que no! Y más vale que cuando me levante por la mañana me encuentre los platos fregados.

Se fue caminando con aire arrogante por el pasillo. Cuando la puerta de su dormitorio se cerró dando un portazo, Macy fue al cuarto de baño, cogió un poco de papel higiénico y lo sostuvo contra la nariz hasta que dejó de sangrar. Luego fue a la cocina y empezó a fregar los platos.

⊠

Macy pasó una semana sin ir a la escuela. No regresó hasta que las magulladuras y el ojo morado se desvanecieron. La señora Hummel informó a la escuela de que la niña tenía gripe. Cuando Macy volvió a ver a su tía, ésta le pareció distinta. Ya no era pastelillos

Twinkies y sándwiches de miel. Ahora formaba parte del bando de la señora Hummel y era igual que el resto de su mundo: un puente de cuerda que se tambaleaba sobre un río de aguas turbulentas.

Su tía estaba fregando los platos y, como de pasada, le preguntó si Irene le había vuelto a pegar.

—No, señora —se apresuró a responder Macy. Una sonrisa orgullosa cruzó por el rostro de su tía.

—¿Ves como va bien sacar a relucir estas cosas? En el fondo las personas son buenas. Todo es cuestión de comunicación.

Macy no volvió a contarle nunca a nadie lo que le hacía la señora Hummel.

CAPÍTULO

Diez

C. S. *Lewis lo dijo de la mejor manera posible:*
«Me gustan más los murciélagos que los burócratas».

⊠ DIARIO DE MARK SMART ⊠

De camino a casa después del trabajo me detuve en un supermercado 7-Eleven para utilizar el teléfono público y llamar a Macy. Antes de que pudiera decir nada, ella se desahogó:

—Nos separaron adrede.

—¿Quién?

—El Estado.

—¿Eso fue lo que te dijeron?

—No, ellos no podían decirme nada. Pero en mi expediente había un perfil psicológico sobre mí. Un asistente social escribió que era yo quien fundamentalmente cuidaba de mi hermana y pensó que el hecho de seguir juntas podría perjudicar sus posibilidades de establecer lazos afectivos en un entorno familiar tradicional. De modo que él, y cito textualmente: «recomienda encarecidamente que las hermanas sean separadas y enviadas a hogares diferentes».

»¿No te parece increíble? ¡Nos separaron porque yo la quería y cuidaba de ella!

—Es absolutamente genial —afirmé con sarcasmo—. Entonces, ¿averiguaste dónde vive?

—No. Pero conseguí la dirección de mi padre. Él tendría que saber dónde vive.

—Diría que sí —repuse.

—Voy a acercarme a su casa en coche.

Lo dijo con despreocupación, como si ver a su padre fuera algo que hiciera regularmente.

—¿Cuánto tiempo hace que no ves a tu padre?

—Catorce años.

—¿Cómo te sientes por tener que ir a verlo? —le pregunté.

—Estoy un poco nerviosa.

—¿Quieres que vaya contigo?

—¿Lo harías?

—Por supuesto. ¿Cuándo quieres ir?

—Estaba pensando en hacerlo mañana a primera hora. Sobre las nueve, quizá.

—Pasaré a recogerte.

—Estupendo. Ah, Jo estará en casa. Por fin os conoceréis. Deja que te dé mi dirección.

La anoté.

—Te veré mañana —me despedí.

—Mañana —repuso ella—. Mañana cambia mi mundo.

CAPÍTULO

Once

Creo que todo el bien o el mal
que podamos hacer en esta vida al final vuelve a nosotros.
Pero el mal desatado se trae a sus amigos.

⊠ DIARIO DE MARK SMART ⊠

16 DE JUNIO DE 1981

Cuando había pasado un año y medio desde que su esposo se marchó, la señora Hummel se metió en la cama. Permanecía en su habitación durante días con las persianas bajadas y de vez en cuando llamaba a alguno de los niños para que le trajera comida. En general, Bart, Ron y Sheryl hacían caso omiso de ella y asumieron su ausencia como una oportunidad para la agradable anarquía. Irónicamente, Macy, que entonces tenía quince años, era la única que sentía lástima por ella. Hacía todo lo posible por mantener la casa en orden y a veces utilizaba su propio dinero ganado haciendo de canguro para comprar comida.

Una noche, la mejor amiga de Macy, Tracy, la siguió hasta su casa. Se quedó fuera junto a la puerta mientras Macy entraba en la habitación oscurecida de la señora Hummel.

—¿Dónde has estado? —le preguntó la mujer con un gruñido—. Llevo horas llamándote. Casi me he quedado sin voz.

—Ojalá —masculló Macy.

—¿Qué dices?

—Nada. Acabo de llegar. Fui a comprar comida. No nos quedaba leche ni cereales.

—¿Dónde está Sheryl?

—No lo sé. —En realidad, sí lo sabía. La había visto más abajo en la calle, fumando con un grupo de chicos.

—Ven aquí.

Macy se acercó. Irene arremetió contra ella en un intento por golpearla, pero el golpe fue tan lento que falló. La chica ya era más grande y fuerte que la señora Hummel y podría haberse desquitado fácilmente, pero nunca lo hizo.

—Busca a tu hermana. Es culpa tuya que no esté aquí.

Macy se dio la vuelta para alejarse.

—¡No me dejes plantada! ¡No me dejes plantada!

La muchacha salió de la habitación. Fuera, en el pasillo, su amiga Tracy estaba furiosa.

—Voy a decirle cuatro cosas a esa bruja.

—No, no vas a decirle nada. Salgamos de aquí. —Macy condujo a su amiga hasta el salón.

—¿Por qué lo soportas?

—Está enferma.

—Está enferma de la cabeza. ¡Si hasta mi madre lo dice! Esa mujer es una chiflada. —Tracy, contrariada, soltó aire—. Escucha, Mace, no puedo seguir siendo tu amiga y quedarme mirando lo que ocurre aquí.

—Sí, bueno, ¿y qué se supone que tengo que hacer al respecto?

—Mi madre dice que puedes vivir en casa tanto tiempo como sea necesario.

Macy volvió la mirada a la habitación. Al cabo de un momento, dijo:

—Lo pensaré.

—No hay nada que pensar. Ve a por tus cosas ahora mismo.

—No lo sé.

—O la bruja o yo. No quiero seguir viendo todo esto. —Tracy se dirigió a la puerta principal. Accionó la manilla de la puerta y volvió la vista atrás una vez más—. ¿Vienes?

—Espera —respondió Macy.

La voz de Tracy sonó calmada, pero emocionada:

—Lo digo en serio, Mace. Si no vas a dejar que te ayude, me marcharé.

Macy dirigió la mirada hacia el pasillo oscuro y se volvió nuevamente hacia su amiga.

—Dame un minuto para hacer la maleta.

Tardó menos de diez minutos en recoger sus cosas. Lo metió todo en un bolso marinero de lona, excepto una caja pequeña que llevó aparte.

—¿Qué hay en esa caja? —preguntó Tracy.

—Es mi adorno de Navidad. Mi padre me lo regaló el día que nos separamos.

—¿Puedo verlo?

—Sí. Pero ten cuidado. —Le entregó la caja con la misma delicadeza que si ésta contuviera un huevo de Fabergé.

Tracy lo examinó.

—¡Vaya! Me sorprende que siga estando de una pieza en esta casa.

—Lo tengo escondido. Sólo lo saco el día de Navidad.

—Es precioso —le devolvió la caja—. Larguémonos de este lugar de mala muerte.

Macy salió de la casa detrás de Tracy y cerró la puerta sin hacer ruido.

CAPÍTULO

Doce

Hoy he conocido a la mejor amiga de Macy, Joette.
Por la descripción de Macy me esperaba como poco
unas alas y una aureola, no una sudadera de los Jazz de Utah
y una gorra de béisbol de los White Sox.

❎ DIARIO DE MARK SMART ❎

Me asomé y meneé la cabeza. Nevaba otra vez. Tan sólo era noviembre y yo ya estaba harto de la nieve y del frío. Hubiera sido difícil encontrar la casa de Macy cuando todos los bordillos y los buzones estaban cubiertos de nieve, pero ella me había indicado que buscara el dúplex que tuviera más decoraciones navideñas. Fue fácil encontrarlo. Reconocí su coche en la entrada y aparqué el mío detrás.

La puerta estaba decorada con una corona de Navidad. Toqué el timbre y me abrió una mujer menuda que llevaba una sudadera y una gorra de béisbol de los White Sox por cuya parte trasera pasaba su cola de caballo de color rojo.

—Tú debes de ser Mark.

—Así es.

—Soy Joette. Pasa. —Miró afuera—. Vaya, está nevando otra vez.

Entré.

—Sí, aquí en Utah nieva mucho.

—Sobre todo este año —cerró la puerta tras de mí.

El salón, pequeño y de aspecto acogedor, estaba ordenado y bien cuidado. Olía bien, como a una de esas velas perfumadas… de nuez moscada y canela. Había cuadros por toda la casa, la mayoría eran fotografías en blanco y negro, como los paisajes de Ansel Adams. En otro rincón de la habitación había un cuadro de Jesús, y debajo de él, sobre un atril de oscura madera de arce, había una Biblia. Un póster enmarcado de *El mago de Oz* colgaba sobre la chimenea, lo cual resultaba peculiar.

La casa estaba decorada con motivos navideños. Había dos belenes expuestos por separado en las mesas auxiliares dispuestas a ambos extremos del sofá: uno tallado en madera de olivo y el otro de porcelana en tonos pastel. Encima de la tapa de un piano vertical caía una nube de cabello de ángel por entre tres grandes candeleros de cristal.

—Siéntate.

Me senté en el sofá y ella lo hizo en el otro extremo, con las manos cruzadas en el regazo.

—Me alegro de conocerte al fin —dijo—. Macy me ha hablado un poco de ti.

—¿Y aun así me deja entrar?

—Siempre acogemos a los descarriados —repuso con una sonrisa. Su semblante cambió y pasó a ser de preocupación—. Supe lo de tu madre, lo siento.

—Gracias.

—Es un duro golpe. Yo perdí a mi madre cuando estaba en el instituto. Aún la echo de menos. —Suspiró y cambió de tema de forma evidente—. Macy me ha dicho que eres de Alabama.

—Sí, señora.

—Está claro que así es. En Utah nadie dice «señora». Excepto Macy. Pero puedes llamarme Joette. O Jo. Así es como me llama ella.

—Sí, señora —dije de manera instintiva, y ella sonrió—. Lo siento.

—No, me gusta mucho. Así pues, hoy vosotros dos emprendéis una aventura.

—Creo que sí.

—Me alegro de que vayas con ella. No es tan sencillo como para que lo haga sola.

Macy entró en la habitación. Iba bien vestida con unos pantalones deportivos y una chaqueta de ante, y no había duda de que había dedicado más tiempo que de costumbre al peinado y al maquillaje. Supuse que, puesto que no veía a su padre desde hacía catorce años, quería causar una buena impresión.

—Hola.

Me puse de pie.

—Hola. Estás muy guapa.

—Gracias —se volvió hacia Joette—. Tendría que estar de vuelta antes de ir a trabajar. No te preocupes por la cena.

—De acuerdo. Buena suerte. —Macy le dio un beso.

—Ha sido un placer conocerte —le dije.

—Igualmente. Espero verte más a menudo.

—Gracias. Yo también lo espero.

Nos siguió hasta la puerta y se quedó allí mientras nos dirigíamos al coche. Le abrí la puerta a Macy y luego rodeé el vehículo.

Cuando subí, ella me dijo:

—Eso ha estado muy bien.

—¿El qué?

—Abrirme la puerta. Joette estaba mirando. Es una entusiasta de los chicos que abren las puertas del coche.

—Pues me alegro de haber comenzado con buen pie. —Puse el coche en marcha.

—Bueno, ¿de qué estuvisteis hablando?

—De no mucho. Me dijo que sentía lo de mi madre.

—Jo perdió a la suya cuando estaba en el instituto.

—Eso me dijo. —Puse la marcha atrás y esperé—. ¿Adónde vamos?

—Vamos a Magna. ¿Sabes dónde está eso?

—Por el oeste.

—Tú toma la autopista veintiuno sur en dirección a las montañas Oquirrh.

Salí del camino de entrada y empezamos el viaje. Al cabo de unos pocos kilómetros dije:

—Háblame de Joette.

Macy sonrió.

—Jo es mi ángel. Es la persona más encantadora que he conocido nunca.

—Entonces te gusta, ¿eh?

Su sonrisa se hizo más amplia.

—Como el chocolate.

—Eso sí es amor.

—Cuando me fui a vivir con ella, Jo trabajaba hasta las dos o las tres de la madrugada mientras que yo terminaba antes de medianoche. De manera que en lugar de irme a la cama me quedaba levantada y limpiaba la casa, pasaba el aspirador, hacía la colada y planchaba. Al cabo de unas dos semanas, una mañana me desperté y me encontré a Jo sentada en el borde de mi cama. «Tenemos que hablar», me dijo. Supuse que había hecho algo mal, por supuesto. «Es por lo de la limpieza», me explicó. Y yo le respondí que podía hacerlo mejor. Ella se me quedó mirando y entonces dijo una cosa que nunca olvidaré. Me dijo: «Macy, no tienes que ser perfecta para vivir aquí ni para hacer que yo te quiera». Eso fue todo. Se levantó y se fue. Yo me eché a llorar. Era la primera vez que había sentido un amor incondicional —se le humedecieron los ojos—. Dejaría que me pegaran un tiro por ella.

—Tienes suerte de contar con una persona así a la que amar —comenté.

—Lo sé. No lo doy por sentado. Lo que sí da miedo es que hace unos cuantos años estuve a punto de perderla. Tuvo un cáncer en el ojo. Gracias a Dios el cáncer entró en remisión. Ahora ya hace casi tres años —respiró profundamente—. Estoy muy agradecida. No podría vivir sin ella.

—¿Qué hay del póster de *El mago de Oz*?

Macy se rió.

—Te fijaste. Joette es una fanática de *El mago de Oz*. Creo que piensa que todo lo que necesitas saber sobre la vida puede aprenderse de *El mago de Oz*. Ese póster tiene el autógrafo de Bert Lahr.

—¿Y ése quién es?

—Hizo el papel del León Cobarde en la película.

Asentí con la cabeza.

—Impresionante.

Cuanto más al oeste viajábamos, menos hablaba Macy. Magna es una antigua ciudad minera del cobre cuya calle principal se halla en buena parte abandonada, en decadencia. Macy miraba los edificios al pasar y me pregunté cuántos recuerdos de niñez conservaría. De pronto señaló:

—Recuerdo que iba a esa tienda. Vivíamos en esa calle que hay más adelante, junto al viejo teatro.

Doblé la esquina donde una maltrecha marquesina de teatro de color amarillo sobresalía por encima de la calle. Las letras que quedaban formaban parcialmente el título de alguna película olvidada de hacía una década, como un juego del ahorcado dejado a medias. Conduje despacio, aguzando la vista para distinguir las señas de las viviendas o de los buzones allí donde la nieve no cubría los bordillos. Al cabo de unas tres manzanas Macy dijo con una voz queda por la decepción:

—Creo que es ésa.

Detuve el automóvil y comprobé la dirección que Macy había anotado. El número de la casa era el correcto, pero no había duda de que el lugar estaba abandonado. Las ventanas estaban tapadas con varias planchas de contrachapado en las que se había pintado: PROHIBIDO EL PASO. El jardín estaba rodeado por una valla de tela metálica que llegaba a la cintura. La nieve se apilaba en altos montones en el lado oeste y los hierbajos y los cardos asomaban aquí y allí por entre la fría capa que cubría el suelo. Salimos del coche. Macy abrió la verja y caminó por la nieve hasta la casa, hundiéndose hasta el muslo en la blancura. Subió al porche y atisbó por entre las tablas hacia el interior de la vivienda. La seguí y me quedé junto a ella. Me dijo:

—Quiero entrar.

Comprobé la puerta principal, pero estaba cerrada. Eché un vistazo alrededor para ver si alguien nos estaba observando. Como no vi a nadie, agarré el extremo de la plancha de contrachapado que estaba clavada en la ventana que daba al norte y tiré de él.

Tuve que emplear todas mis fuerzas y me caí de espaldas en el porche con un fuerte estrépito. Miré a Macy.

—Te abriré la puerta.

Entré en la casa. Estaba oscura; le di al interruptor de la luz sin resultado y me di cuenta de que había sido una estupidez. Me alegré de que Macy no me hubiera visto. La atmósfera tenía un olor acre al moho de las alfombras medio podridas y de las placas de yeso de las paredes.

Abrí la puerta principal. Macy entró, se quedó de pie en el centro del vestíbulo y miró a su alrededor. No éramos los primeros intrusos que habían entrado en la casa. Alguien se había hecho una madriguera en un rincón, llena de botellas de cerveza vacías y colillas. Las paredes estaban cubiertas de pintadas. Macy no pareció percatarse de nada de todo aquello.

—Esto es como un sueño dentro de un sueño —comentó—. En aquel entonces parecía mucho más grande.

Empezó a bajar al sótano, pero éste estaba inundado con varios palmos de agua. Macy descendió hasta el último escalón posible, miró en derredor y volvió a subir.

—No queda nada —anunció con tristeza—. ¿Ahora cómo voy a encontrarle?

Fruncí el entrecejo.

—Lo siento —le dije.

Macy salió por la puerta principal. Yo eché el cerrojo y volvía a trepar por la ventana cuando alguien gritó:

—¿Qué están haciendo ahí adentro? ¡El letrero dice PROHIBIDO EL PASO!

En la acera frente a la casa había una anciana negra de cabellos plateados. Era casi tan ancha como alta y llevaba puesto un abrigo de lana de un color rojo vivo con cuello de piel de imitación y botones negros tan grandes como dólares y unos chanclos de goma negros. Llevaba una bufanda fina atada en la cabeza y una bolsa de plástico de la compra colgada del codo. Un terrier yorkshire de pelaje plateado tiraba de la correa que sujetaba la mujer y husmeaba por la nieve.

Pensé que Macy ya se sentía bastante mal como para encima tener un altercado con una anciana maniática.

—Ya nos marchábamos —dije. Tomé a Macy del brazo y bajamos los escalones. La mujer se quedó allí mirándonos fijamente.

—Hace años que tendrían que haber tirado abajo este lugar. Es como un imán para los vagabundos y los fugitivos. ¿Vosotros qué sois?

—¿Disculpe? —dijo Macy.

—¿Qué sois, vagabundos o fugitivos?

Macy se detuvo.

—No somos ninguna de las dos cosas —respondió con delicadeza.

—Un día alguien prenderá fuego a este lugar y va a arder todo el barrio. Aunque no es que fuera a importarle mucho a nadie.

—Vámonos —dije, y tiré a Macy del brazo.

Ella no me hizo caso. En cambio, retrocedió hacia la mujer.

—Buscaba a una persona que vivía aquí.

—Hace más de diez años que aquí no vive nadie, cielo. —Entonces la mujer forzó la vista para mirarla—. Acércate más.

Para mi sorpresa, Macy caminó hacia ella. Cuando estuvo a

un brazo de distancia, la mujer entrecerró los ojos y la observó con más detenimiento. Entonces alargó la mano y le acarició la mejilla a Macy. Una sonrisa afloró a su rostro arrugado.

—Bueno, vaya, ahora ya eres toda una persona mayor, ¿verdad, pequeña Macy?

Ella la miró con asombro.

—¿Cómo sabe mi nombre?

—¿Por qué iba a olvidarlo?

—¿La conozco?

—Me conocías. Solías jugar en mi casa casi todos los días. —La miró como si esperara que lo recordara—. Hacíamos funcionar la vieja pianola.

Macy bajó la mirada.

—Recuerdo un piano. ¿Jugaba en su casa?

—Casi cada día, sobre todo cuando tu mamá estuvo tan enferma. Tu hermana y tú veníais a casa y me pedíais chocolate. Yo solía tener esas estrellas de Brach's que van en bolsas de plástico.

—¿Conoce a mi hermana?

—Diría que sí. Igual que te conozco a ti.

—¿Usted sabe cómo se llama mi hermana?

La mujer se la quedó mirando.

—Santo cielo, ¿qué te han hecho? —tiró de la correa del perro—. Ven a casa conmigo. Tenemos que ponernos al día.

La anciana se volvió hacia mí.

—Sé que a ti no te conozco.

—Soy un amigo de Macy —dije.

Ella me tendió la bolsa de la compra.

—Bueno, amigo, ¿te importaría llevarme la bolsa? Soy una persona mayor.

Le cogí la bolsa.

—No hay problema.

La mujer se dirigió a su perro:

—Vamos, *Fred*, vamos a llevar a Macy a casa.

CAPÍTULO

Trece

Un gran día. Nos enteramos del nombre de la hermana de Macy. Colgaba de su árbol de Navidad desde un principio.

⊠ DIARIO DE MARK SMART ⊠

La mujer vivía a tan sólo tres viviendas de distancia del que fuera el hogar de Macy, en una casa de ladrillo rojo con toldos de tela que parecían totalmente fuera de lugar en un barrio donde lo normal eran las viviendas prefabricadas con revestimiento exterior de aluminio. Nos contó que había vivido en la misma casa durante cincuenta y siete años de los ochenta y dos que tenía.

Subió los siete escalones del porche de cemento con cierto esfuerzo y nosotros la seguimos. Sacó una maraña de llaves del bolsillo de su abrigo, abrió la puerta y entramos.

Se agachó para quitarle la correa al perro y volvió a erguirse.

—Ya cojo yo la leche.

Le di la bolsa y se fue renqueando a la cocina, dejándonos a Macy y a mí solos en la sala de estar. Era una habitación rectangular con el suelo cubierto por una alfombra de pelo largo dorada y las paredes empapeladas con un falso pan de oro que el tiempo había amarilleado, sobre todo cerca de las ventanas. El mobiliario parecía haberse adquirido en los años cincuenta y la casa olía a ambientador de lilas. En una pared había un mural descolorido de Hawái. En la pared de enfrente había montado un expositor de platos Wedgwood encima de una pianola antigua, un instrumento gigantesco de armazón de madera con dibujo en espiga.

En un rincón de la sala había un árbol de Navidad artificial ancho y bajo con una única ristra de lucecitas dispuestas sin orden ni concierto. En el rincón opuesto había una estantería de madera veteada de nogal con tres baldas escalonadas adornadas con figuras de porcelana. Macy se acercó a ella y se agachó para examinar las muñecas. Yo me senté en el sofá y la observé.

—Habéis elegido un buen día para venir —dijo la mujer desde la otra habitación—. Voy a preparar mis dulces de Navidad. Bombones de licor y virutas de chocolate. —Regresó a la habitación con un plato de galletas—. No has cambiado mucho, ¿verdad, muchacha?

Macy se volvió a mirarla.

—¿Disculpe?

—Te encantaban esas muñecas. Siempre ibas directa hacia ellas.

Macy ladeó la cabeza.

—Las recuerdo.

—¿Ves ésa que tiene el brazo roto?

—Sí.

—Lo hiciste tú. Bueno, quizá lo hiciera Noel y tú te llevaste la culpa. Nunca me dijiste la verdad, siempre salías en su defensa.

—Noel. Así se llama —dijo, como si se lo hubieran sacado de algún lugar de su mente—. Está en mi adorno de Navidad.

—Christina Noel. Nacida el día de Navidad.

—Siempre siento algo cuando oigo esa canción —comentó Macy—: *La primera Navidad.*

—Yo siempre se la cantaba cuando veníais, incluso en verano. Erais unas niñitas monísimas las dos. Daba gusto veros subir por el camino cogidas de la mano. Solía deciros que deberíais demandar al condado por construir la acera tan cerca de vuestro trasero.

Se echó a reír.

—También solía cantaros. Vuestra canción favorita era *Eres una pizca de miel que las abejas no han encontrado*. Y os gustaba esa canción de *Mary Poppins* que decía: «Da de comer a los pájaros, dos peniques la bolsa…»

La voz de la mujer era irregular y chirriante como un viejo disco de vinilo, pero envolvió a Macy como una oleada cálida.

—Antes tenía voz… —siguió diciendo la anciana.

—Ya me acuerdo —repuso Macy.

—Teníamos un trío con mis hermanas. En aquel entonces éramos populares. Cantamos en la inauguración del Hospital Saint Mark. Además, era guapa, por supuesto, y ya ves de qué me ha servido.

Le tendió el plato.

—¿Una galleta de jengibre?

Macy tomó una.

—Me encantan las galletas de jengibre —dijo.

—Ya lo sé. Coge dos.

Tomó otra, y entonces la mujer me ofreció el plato a mí y cogí una. Ella hizo lo mismo.

—Solía decirte que si te comías otra galleta de jengibre te convertirías en una. ¡Y me creías! Cavilabas sobre ello como si tal vez fuera una buena idea.

Macy le dijo con vacilación:

—Lo siento, pero no recuerdo su nombre.

—Me llamabais simplemente Nanna. Mi nombre es Bonnie Foster.

—Bonnie Foster —repitió Macy—. ¿Conoció bien a mi madre?

—¿No pensarás que tu madre te mandaría sin más a casa de un desconocido, eh? —Se levantó apoyándose en las rodillas—. Un minuto. —Abandonó la habitación y la oímos rebuscar en el armario del vestíbulo. Regresó con una vieja caja de zapatos—. ¿Quieres ver una foto suya?

—¿Tiene fotografías nuestras?

—Pues claro que sí. De todos vosotros. Incluso de tu padre.

Bonnie colocó la caja en la mesa de centro frente a nosotros. Macy cogió las fotografías. La primera foto era de dos niñas pequeñas posando con los vestidos de Pascua.

—¿Éstas somos Noel y yo?

—Erais unas niñas muy monas.

—Os parecéis —comenté.

—Oh, sí —aseguró Bonnie—. De no ser por la edad, podríais haber sido gemelas.

Macy continuó pasando varias fotografías en las que salían ella y su hermana. En una de ellas las niñas estaban sentadas en el regazo de una mujer.

—Ésta es mi madre —dijo Macy en voz baja.

—Tu querida madre.

—Era muy hermosa.

—¡Cielos, sí! Y también era hermosa por dentro. Tu madre era una santa.

—¿Una santa? —preguntó Macy al tiempo que le dirigía una mirada perpleja.

—Es pecado recriminar al Señor, pero no sé por qué siempre se lleva a sus mejores criaturas cuando tanto las necesitamos aquí abajo. Allí tiene a todos los mártires y santos, y cuando tenemos a uno de ellos entre nosotros, es como si Él lo quisiera de vuelta. Tendría que haberse llevado a tu padre. —Apartó rápidamente la mirada—. No debería haber dicho eso. Ahora he pecado dos veces. Este domingo el padre Lapina va a tener trabajo conmigo en el confesionario.

Medité sobre mi situación y sobre el hecho de que durante las últimas semanas había pensado eso mismo, que debería haber sido mi padre.

Macy dejó la fotografía.

—¿Dijo que mi madre estuvo enferma?

—Tenía cáncer de pulmón.

—¿Cáncer? ¿Quieres decir que no murió a causa de la bebida?

—¿Tu madre? ¡Cielo santo, no! No creo que tocara ni una gota de alcohol en toda su vida. ¿De dónde has sacado esta idea descabellada?

—Me lo dijo Irene Hummel.

—¿Y quién es Irene Hummel?

—La mujer que me adoptó.

Bonnie meneó la cabeza y dijo:

—Esto sí que es un pecado, hablar de tu madre de ese modo. Tu madre era un ángel, si alguna vez hubo uno en la tierra.

—¿Y mi padre?

Su expresión se endureció.

—Ese hombre ya es harina de otro costal. —Fue pasando las fotografías, buscando una—. Aquí está. —La imagen mostraba a un hombre delgado apoyado en una motocicleta con un cigarrillo colgando de los labios—. Ese hombre fue su cruz. Él era su única esperanza de mantener a la familia unida. Pero la defraudó. Os defraudó a todas.

—¿Por qué se casó con él? —pregunté, pues vi otra similitud con mis padres.

—Lo que no me explico es por qué no lo dejó. Pero, claro, el amor no es razonable.

Al final Macy hizo la pregunta que había estado deseando hacer:

—¿Usted sabe dónde está Noel?

—No. Ojalá lo supiera. Un día vinieron y se la llevaron. Nunca volví a verla. Pero estoy segura de que algún funcionario podría decírtelo.

Macy negó con la cabeza.

—Han sellado todos nuestros expedientes.

—¿Y por qué iban a hacer eso?

—Me dijeron que querían privacidad.

—¿A quién te refieres?

—A mi hermana y su nueva familia.

—Eso no tiene ningún sentido.

—Yo también pensé lo mismo. Supongo que lo mejor que puedo hacer es buscar a mi padre. ¿Sabe dónde está?

Bonnie frunció el ceño.

—Perdió la casa al cabo de un año o dos de que os marcharais.

—¿Sabe adónde se mudó?

—No. Quizá murió. —Percibió la expresión angustiada de Macy—. Pero lo dudo. Leo las esquelas todos los días y no lo he visto en ellas.

—No sale en la guía telefónica —dijo Macy—. Si es tan malo como dice, puede que ni siquiera recuerde quién se la llevó.

—Todo saldrá bien —afirmó Bonnie—. Recuerda los Salmos: «Estad quietos, y conoced que yo soy Dios». Significa que Dios lleva las riendas. Lo dice la mismísima Biblia. Mira cómo nos hemos encontrado nosotras. —Miró a Macy a los ojos—. Me alegro mucho de volver a verte.

—Yo también me alegro de volver a verla.

—Bueno, y ahora háblame de este chico.

—Mark es amigo mío. Es de Alabama.

—Mi antiguo vecindario. Estás muy lejos de casa.

—Sí, señora. Lo estoy.

—¿De qué parte de Alabama?

—De Huntsville.

—Mi familia es de Montgomery. —Sonrió y le dio unas palmaditas en el muslo a Macy—. Me encantaría que vinierais a comer el domingo.

—Sería estupendo. —Se volvió a mirarme—. ¿Tú tienes algo que hacer, Mark?

Su pregunta tan sólo era una formalidad.

—No, no tengo ningún compromiso.

—Estaré en la iglesia hasta la una —dijo Bonnie—. ¿Os parece bien comer a las dos?

—A las dos está muy bien —afirmó Macy.

Bonnie y Macy intercambiaron los números de teléfono y luego nos levantamos para marcharnos. El perro, *Fred*, se puso de pie de un salto y empezó a correr a nuestro alrededor ladrando frenéticamente.

—Cállate, *Fred* —le ordenó Bonnie—. Cállate.

Nos detuvimos frente a la puerta.

—¿Qué puedo traer para la comida? —preguntó Macy.

—Sólo a ti. Y a este amigo tuyo.

Macy no la corrigió.

—Pues nos vemos el domingo.

—Espera. Nunca te marchabas sin darle un beso a Nanna.

Macy sonrió.

—Lo siento, lo olvidé. —Besó a la anciana en la mejilla.

—Tú también puedes darme un beso —me dijo.

La besé en la otra mejilla.

—Os veo el domingo… Venid con hambre.

Cuando volvimos a sentarnos en el coche, Macy empezó a llorar y no paró hasta que ya estábamos a medio camino de casa.

Al llegar a Salt Lake le pregunté:

—¿Quieres comer algo?

—No. A menos que quieras tú.

—Yo estoy bien.

Miró nuevamente por la ventanilla.

—¿Estás bien?

—¿Y si no la encuentro nunca?

—La encontrarás. Saldrá bien.

—¿Cómo puedes estar seguro?

—Es tal como dijo Bonnie: el destino también juega sus cartas en estas cosas. Me refiero a que mira cómo encontramos a Bonnie. ¿Qué probabilidades había de que ocurriera?

—Tienes razón. —Al cabo de un momento añadió—: Uno de nuestros clientes habituales de The Hut es detective privado. Me pregunto si podría ayudarme a buscar a mi padre.

—Seguro que sí. Apuesto a que este tipo de asuntos no le suponen ningún problema.

Macy sonrió.

—¿Sabes qué? Un poco de hambre sí que tengo.

Nos detuvimos en un McDonald's y nos comimos unos sándwiches de pescado. Al cabo de una hora dejé a Macy en su casa.

—¿Quieres pasar? —me preguntó.

—Tengo que ir a trabajar. Ya llego tarde.

—Yo también trabajo esta noche. —Se inclinó y me dio un beso en la mejilla—. Gracias por acompañarme.

—De nada. Te llamaré mañana.

—De acuerdo, que te diviertas en el trabajo. —Entró en la casa corriendo y yo seguí adelante deseando no tener que separarme de ella y preguntándome adónde nos llevaría el siguiente paso de nuestro viaje.

CAPÍTULO

Catorce

A veces ya no puedes volver a casa.

⊠ DIARIO DE MARK SMART ⊠

Al regresar a casa después del trabajo encontré una nota que el casero había metido por debajo de mi puerta. Unos garabatos apresurados decían: «Llama a tu tía Marge a cobro revertido, sea la hora que sea». Debajo había escrito un número de teléfono con el prefijo local de Huntsville. La tía Marge era la única hermana de mi madre y una de las tres mujeres que iban con ella en el coche cuando tuvieron el accidente. Me sorprendió tener noticias suyas y el tono urgente de la nota me preocupó.

Me guardé el mensaje en el bolsillo, salí a la calle y me dirigí al teléfono público exterior que había en el 7-Eleven de la esquina. Noté el frío del auricular en la cara. Le pedí a la telefonista que hiciera la llamada. Al cuarto zumbido una voz adormilada contestó:

—¿Mark?

—Tengo una llamada a cobro revertido de Mark Smart —dijo la telefonista—. ¿Acepta los costes?

—Por supuesto.

—Adelante, señor.

—Tía Marge —dije.

—¡Oh, Mark! Me alegra que hayas llamado.

—Siento llamar tan tarde, pero acabo de salir del trabajo y me dieron tu mensaje. ¿Ocurre algo?

—Nada nuevo. Lo que pasa es que he estado muy preocupada por ti.

Me sentí aliviado al saber que no había malas noticias.

—¿Has vuelto a la universidad?

—Todavía no. Estoy ahorrando para hacerlo. Pero voy a tardar un poco.

—¿Puedo ayudarte?

Sabía que lo decía en serio, pero, en conciencia, no podía aceptar su dinero. Se había divorciado hacía ocho años y, con cuatro hijos y una ayuda mínima para su manutención, su vida había sido una constante lucha financiera.

—Gracias, tía Marge, pero ya me las arreglaré.

—Mark, le prometí a tu madre que cuidaría de ti. ¿Cuándo vas a volver a casa?

—La verdad es que no tengo pensado regresar.

—Pero vendrás por Navidad, ¿no?

Vacilé.

—No lo sé.

—¿Qué quieres decir?

—En realidad, no hay ningún motivo para volver.

—¿Y qué me dices de tu padre?

Esta pregunta era más fácil.

—La última vez que hablé con Stu me dijo que no fuera a casa.

Ella se quedó callada unos instantes.

—Lo sé. Ya me lo contó. Lamenta habértelo dicho.

En veintiún años nunca había oído a Stu disculparse o retractarse de nada.

—¿Stu te dijo que lamenta habérmelo dicho?

—Con esas mismas palabras.

«Me lo imaginaba.»

—Pues cuando me lo dijo a mí parecía estar muy seguro al respecto.

—Lo que pasa es que estaba muy mal. Está pasando una mala época.

—Puede unirse al club. Tenemos chaquetas.

Mi sarcasmo la desconcertó.

—Mark, tú no eres el único que sufre. Alice era su esposa, y también era mi hermana y mi mejor amiga.

—Lo siento, tía Marge. No era mi intención ser irrespetuoso. Agradezco tu preocupación. Es que… no hay nada para mí en Huntsville, de verdad. Stu y yo no nos llevamos bien.

Ella guardó silencio durante lo que pareció un largo rato.

—Las personas no siempre son lo que parecen ser, ¿sabes, Mark?

—No puedes decirme que Stu es un buen padre.

—Lo que te estoy diciendo es que en realidad no le conoces.

—Con el debido respeto, creo que conozco a mi padre.

—Tú conoces lo que conoces. Pero no sabes toda la historia.

—¿Qué historia?

—La historia de tus padres.

—Pues cuéntamela.

—No me corresponde a mí contártela. Pero algún día lo comprenderás. Espero que no sea demasiado tarde. Por tu bien, y por el de tu padre.

Me quedé sin saber qué decir. No me imaginaba ningún panorama que pudiera cambiar lo que sentía por él. Al cabo de un momento dije:

—¿Puedo hacerte una pregunta?

—Pues claro.

—¿Estabas con mi madre cuando ocurrió el accidente?

—Sí.

—¿Me contarás qué pasó?

Le había hecho una pregunta difícil, para ambos, e hizo una pausa para prepararse.

—La verdad es que no quiero hacer esto por teléfono.

Me senté en el cemento frío y el cable de envoltura metálica del teléfono se tensó.

—Ya lo sé. Pero es que necesito saberlo.

Estuvo callada un momento más y luego su voz me llegó más queda.

—De acuerdo. Ya sabes que nosotras, las mujeres, nos reunimos una vez al mes. Fuimos a comer al Sandpiper. De camino a casa empezó a llover con fuerza. Los limpiaparabrisas apenas daban abasto. Tu madre conducía. Ni siquiera íbamos deprisa, pero de repente apareció un camión parado delante de nosotras. Tu madre viró para esquivarlo, nos salimos de la carretera y volcamos por encima de un terraplén. El coche dio tres vueltas hasta que golpeó contra un árbol y se detuvo boca abajo. El golpe lo recibió la puerta del lado de tu madre.

Empecé a llorar. Tenía miedo de hacer la pregunta siguiente, pero tenía que saberlo.

—¿Murió al instante?

—No. Intentamos ayudarla, pero no pudimos quitarle el cinturón de seguridad. —Empezó a temblarle la voz de la emoción—. Yo la abracé mientras esperábamos que vinieran a socorrernos. Se desangró antes de que llegaran los de la ambulancia.

Tardé un momento en poder hablar de nuevo.

—¿Sufrió mucho?

—No se quejó. Pero estaba en estado de choque.

Me limpié las lágrimas de la cara con el dorso de la mano.

—¿Dijo algo?

—Sí. Quería que te dijera que te quiere con todo su corazón y que siempre te querrá. Y que estaría velando por ti.

Me sequé los ojos. Al cabo de un momento le pregunté:

—¿Dijo algo más?

—Sí. Pero no era para ti.

—¿Para quién era?

—Para Stu.

—¿Podrías contarme qué fue lo que dijo?

Ella vaciló.

—No lo sé.

—Sólo intento conservar todo lo que pueda de ella. Me ayudaría mucho saber cuáles fueron sus últimos pensamientos.

Ella reflexionó sobre mi petición unos momentos más.

—Quizá debería contártelo. Podría serte de ayuda. Podría ayudaros a ambos. Ella quería que le dijera que lo sentía.

Supongo que me había esperado cualquier cosa, menos eso. Hubo algo que inflamó mis defensas y convirtió mi dolor en furia.

—¿Que ella lo sentía? ¿Qué es lo que sentía?

—Eso tendrás que preguntárselo a tu padre.

Me quedé sin habla. No podía concebir nada por lo que mi

madre pudiera lamentarse. Lo único que yo veía era que mi padre le había amargado la vida. Nos había amargado la vida a todos.

—Ahora vamos a despedirnos —dijo—. ¿Necesitas algo?

—No.

—Mark, por favor, piénsate lo de venir a casa. Si quieres, puedes quedarte con nosotros, pero dale una oportunidad, por favor.

Al cabo de un minuto respondí:

—Lo pensaré.

—Si cambias de opinión, llámame. Puedes llamarme a cobro revertido a cualquier hora, tanto de día como de noche. Te pagaré el billete de avión.

—Gracias. Te lo haré saber.

—¿Todavía tienes mi número de teléfono?

—Lo tengo apuntado.

—Bien. Cuídate. Volveré a llamarte más adelante para saber cómo estás.

—Gracias por llamar, tía Marge.

—De nada, Mark. Te quiero.

—Yo a ti también.

Me puse de pie y colgué el auricular. Regresé a mi apartamento con dolor de corazón. Fue como si volviera a enterarme por primera vez de la noticia de la muerte de mi madre. Representé mentalmente los últimos momentos de su vida. Su Impala marrón volando por los aires a cámara lenta. Sin embargo, lo que más grabado se me quedó fueron sus últimas palabras, su disculpa para Stu. ¿De qué podía lamentarse mi madre? Me quedé dormido pensando en ello.

CAPÍTULO

Quince

Macy y yo tenemos una cita de verdad mañana.
La diferencia entre mis sentimientos por las chicas
con las que he salido antes y lo que siento por Macy
es como la diferencia entre el Día del Trabajo y Navidad.

⊠ DIARIO DE MARK SMART ⊠

A la mañana siguiente me desperté con lo que parecía ser una resaca emocional.

Poco después de mediodía salí a llamar a Macy.

—Hablé con Tim —me dijo.

—¿Quién es Tim?

—El detective privado del que te hablé. Anoche lo vi en el trabajo. Buscó a mi padre, pero no pudo encontrarlo. Me dijo que, por regla general, esto significa una de dos cosas. O está en prisión, o se ha mudado fuera del estado. Por lo que dijo Bonnie, ambas cosas son bastante probables.

—Entonces, ¿tendríamos que visitar la prisión?

—Ya he llamado. No te dicen si alguien está ahí dentro o no. Va contra las normas.

—Da la impresión de que el Gobierno está conspirando para mantenerte alejada de tu hermana.

—Lo parece, ya lo creo —repuso—. ¿Qué tal te van a ti las cosas?

—Me llamó mi tía desde Alabama. Ella estaba en el coche con mi madre. Le pedí que me contara los detalles del accidente.

—¿Estás bien?

—Fue duro. Pero tenía que saberlo.

—Lo siento —me dijo—. ¿Qué más te contó?

—Quería saber cuándo iba a volver a casa. Se disgustó mucho cuando le dije que no tenía intención de regresar.

—Es comprensible. Sois familia.

—Lo extraño es que estaba realmente preocupada por mi padre. Cree que tengo que ir a verle. Y es lo último que quiero hacer.

Macy lo consideró.

—Resulta un tanto irónico, ¿no? A mí me inquieta no poder encontrar a mi padre y tú huyes del tuyo.

—No estoy huyendo —repliqué—. Lo que pasa es que no quiero verle.

—Lo siento —me dijo en voz baja.

Me sentí estúpido por reaccionar tan a la defensiva.

—Supongo que estoy un poco sensible con todo esto de mi padre.

—Lo cual es comprensible.

—¿Quieres que nos veamos? —le pregunté.

—Claro. ¿Cuándo?

—¿Cuándo no trabajas?

—Puedo tomarme libre mañana por la noche.

—¿Podría invitarte a salir?

Su voz sonó más alegre:

—¿Una cita de verdad?

—Si te parece bien.

—Claro. ¿Qué quieres hacer?

—Tengo una cosa en mente. Te recogeré a las seis.

—¿Qué vamos a hacer?

—Es una sorpresa. Pero abrígate. Abrígate mucho.

—¿Con una parka y unas botas, por ejemplo?

—Sí. Como si tuvieras que ir al Polo Norte. Y no comas. ¡Ah!, y trae un traje de baño.

—Un traje de baño y unas botas. Parece interesante. Muy bien. Te veré mañana.

—De acuerdo. Hasta mañana.

—Estoy impaciente.

CAPÍTULO

Dieciséis

Subimos a las montañas como amigos.
Regresamos siendo algo más.
No sé muy bien qué, pero algo más, seguro.

⊠ DIARIO DE MARK SMART ⊠

A la mañana siguiente di mi primera clase de guitarra. Mi alumno era un chico de trece años que quería ser guitarrista de *heavy metal* y no dejaba de aporrear el instrumento como si fuera un tam-tam. Su madre había cogido una de las tarjetas en la cafetería. Dejó a su hijo en mi apartamento con veinte dólares y la guitarra que le regalaron por su cumpleaños.

Después de comer fui en coche a un supermercado cercano y compré provisiones para mi cita con Macy. Tardé casi una hora en preparar la comida, más tiempo del que, con toda probabilidad, había pasado en la cocina en los últimos tres meses. Pasé a recoger a Macy a las seis. La llevé al Big Cottonwood Canyon, en el extremo sudeste del valle. Cuando habíamos recorrido una tercera parte del camino al cañón, dejé la carretera y me metí en una zona de acampada.

Aparqué el coche, saqué del maletero una pala que le había pedido prestada a mi casero, quité la nieve de la mesa más cercana y cubrí el banco con un pedazo de lona impermeabilizada. A continuación saqué un fajo de leña del coche, unos periódicos, cerillas, una jarra de plástico con agua y una nevera portátil pequeña de color rojo.

Macy se apeó del vehículo y me observó mientras yo cortaba

algunos de los trozos más grandes de leña para encender el fuego, alrededor del cual coloqué los leños de mayor tamaño. En menos de cinco minutos la fogata ardía que daba gusto.

—Supongo que fuiste un Eagle Scout[4] —comentó Macy.

—Fui Life Scout.

—¿Y eso qué es?

—Cuando te falta una insignia para ser Eagle Scout.

—¿Por eso se te da tan bien encender el fuego?

—No, no tiene nada que ver. En realidad, soy un pirómano como cualquier otro hombre del planeta.

—¿Qué les pasa a los hombres con el fuego?

—Creo que es algo primigenio, los trogloditas cocinando su presa.

Ella sonrió con aspecto de comprenderlo.

—Bueno, troglodita. ¿Qué hay de cena?

Saqué dos paquetes grandes de papel de aluminio de la nevera.

—Empanadas con cebollas, zanahorias y patatas.

Cogí la pala y retiré unas cuantas brasas. Llené dos vasos de papel con el agua de la jarra y vertí en cada uno de ellos un sobre de chocolate preparado.

—¿Cómo vamos a calentar el agua? —preguntó.

—Observa. —Utilicé unas tenacillas y con cuidado coloqué los vasos de papel en las llamas.

---

4. El más alto rango que se puede lograr en la organización de Boy Scouts norteamericana. (*N. de la T.*)

Ella me miró con recelo.

—¿Qué estás haciendo?

—Tú observa.

Las llamas inflamaron el borde de cera del vaso y lo chamuscaron hasta que quedó negro, pero no se quemó nada más. Al cabo de unos minutos el chocolate hervía en las tazas de papel.

—Esto es genial —dijo Macy—. ¿Cómo sabías que no se derretiría el vaso?

—Porque fui Life Scout —contesté.

El sol se puso y dejó el campamento iluminado únicamente por el fuego y la luz de la luna. Dispuse los cubiertos y luego saqué la cena de la lumbre. Las cenizas habían ennegrecido el papel de aluminio y los jugos crepitaban en su interior. Al retirar el papel, la comida humeó en el aire frío. Puse una de las raciones frente a Macy.

—Ten cuidado, que quema.

Ella pinchó la comida con el tenedor.

—Ya lo veo.

Ensartó una zanahoria, la sopló y se la comió. Sonrió. Entonces probó la carne.

—Está buenísimo. Nunca había cocinado nada sobre una fogata —dijo Macy—, o debajo, mejor dicho.

—Yo solía ir de acampada con mi amigo y su padre. No hay nada mejor que la comida cocinada en una fogata.

—¿Tu padre te llevó de acampada alguna vez?

—En este mundo hay dos clases de familias: las que van de acampada y las que no. Nosotros éramos de las que no.

—Los Hummel también eran de las que no. Dick, el señor Hummel, nos llevó una vez. También fue nuestra última salida familiar.

—¿Qué ocurrió?

—Nada en particular. Es sólo que… algunas personas se complican la vida más de lo necesario. En aquella casa todo era un drama —suspiró—. Me alegro mucho de no tener que volver a verlos nunca más.

Cuando terminamos de comer, regresé al coche y cogí dos perchas que había desdoblado para asar nubes de malvavisco. Metí la mano en la bolsa y saqué un paquete de galletas saladas Graham, una bolsa de nubes y dos chocolatinas Hershey.

—¿Unos S'mores?[5] —dije.—Me encantan los S'mores.

—Pues claro. Llevan chocolate.

—Me conoces hace apenas dos semanas y ya sabes todo lo que necesitas saber para llevarte bien conmigo.

Las nubes de malvavisco de Macy no dejaban de inflamarse como antorchas hasta que le enseñé cómo hacerlas girar con cuidado por encima de las brasas. Después de que termináramos de comer, dije:

—Tengo otra sorpresa más. —Fui al coche y cogí la guitarra. Macy aplaudió al verla.

—Estaba esperando que tocaras para mí.

—Estaba esperando que lo dijeras.

---

5. Galletas Graham con malvavisco derretido y chocolate. (*N. de la T.*)

Nos sentamos en el banco de la mesa de cara al fuego y toqué durante casi una hora. Estar con Macy era maravilloso. La luna brillaba por encima de nosotros y teñía el campamento de un sombrío color azul bajo el dosel de árboles desnudos. La nieve apagaba el tañido de mi guitarra y las notas sonaron graves y conmovedoras. Ella adoptó un aire meditabundo y las llamas de la fogata bailaban en sus ojos. Al cabo de siete u ocho canciones dejé la guitarra plana sobre la mesa.

—Podría pasarme horas escuchándote —comentó Macy en voz baja.

—Adoro la guitarra. Ella no finge. Es lo que es.

—Parece como si estuvieras hablando de ti mismo —dijo ella.

No respondí.

—¿Y por qué me dijiste que trajera el traje de baño?

Sonreí con expresión burlona.

—Bueno, eso sólo fue para despistarte. No lo has traído, ¿verdad?

—Lo llevo puesto debajo de la ropa.

—Lo siento —me eché a reír.

Ella meneó la cabeza.

—Va, cuéntame algo sobre Mark Smart que no sepa nadie más en el mundo entero.

—Casi cualquier cosa se ajusta a ese criterio.

—Pues entonces cuéntame algo que nadie se imaginaría. Como, por ejemplo, ¿qué es lo más extraño que has hecho en tu vida?

Lo pensé.

—Vale. Cuando tenía diecisiete años, unos amigos y yo tomamos prestado un maniquí de una tienda de segunda mano...

Macy me interrumpió.

—¿Cómo que «tomasteis prestado un maniquí»?

—Está bien, robamos un maniquí. Pero teníamos intención de devolverlo.

—Continúa.

—Tomamos prestado el maniquí y lo llevamos hasta la parte de atrás del autocine y durante la película lo tiramos por delante de la pantalla para que pareciera que alguien había saltado.

—Es muy divertido. Extraño, quizás un poco retorcido incluso, pero divertido.

—Sí, la gente empezó a tocar el claxon y todo eso. Bajamos a toda prisa y nos largamos de allí.

—¿Con o sin el maniquí?

Tuve que pensarlo.

—Sin.

—Entonces lo robasteis de verdad.

—¿Por qué te preocupa tanto el maniquí?

—No me preocupa. Sólo quería saber si eres un ladrón.

—Fui un ladrón de maniquíes. Pero ahora ya estoy reformado. Ya no he vuelto a robar ni un solo maniquí desde entonces. De hecho, puedo pasearme por toda la sección de caballeros de J. C. Penney's sin tocar ni uno.

—Muy bien, ladrón de maniquíes reformado. Dime, ¿cuál es tu mayor sueño?

—Mi mayor sueño sería oír por la radio una canción que hubiera compuesto yo.

—Eso sería genial.

Asentí con la cabeza.

—Sí, ya lo creo. Pero también me gustaría abrir una pequeña tienda de guitarras en alguna parte, venderlas y enseñar a tocar.

Ella sonrió al oírlo.

—Suena muy bien. Sencillo.

—Lo sencillo es bueno.

—Sí, lo sencillo es bueno.

—¿Y qué me dices de ti? ¿Qué es lo más extraño que has hecho en tu vida?

Frunció un poco los labios.

—No es algo que quiera compartir.

—Un momento, yo acabo de compartir mis actividades delictivas contigo…

—No, lo digo en serio.

La miré desconcertado. Me resultaba increíble que la acción más delictiva que podía cometer era quitarle la etiqueta de NO ARRANCAR a un colchón.

—Está bien, pues ¿cuál es tu mayor sueño?

Sus labios se curvaron en una leve sonrisa.

—Mi mayor sueño es tener una familia. Como las que salen en las reposiciones de televisión donde hay un padre y una madre y un par de hijos y cenamos todos juntos por la noche y vamos a pasar las vacaciones de verano en Yellowstone. Ya no sé si la gente sigue haciéndolo, pero es lo que quiero.

Su fantasía me hizo sonreír.

—Bueno, pues cuéntame algún secreto sobre ti. No tiene por qué ser un delito —añadí.

Ella lo pensó un momento. Muy bien, hay dos cosas. Una de ellas es un poco rara.

—Continúa —la animé.

—Escribo poemas.

—¿Poemas?

—Tengo toda una libreta llena.

—Eso no es raro.

—No, lo raro es la otra cosa.

—Pues ya llegaremos a eso después. Oigamos un poema.

—Si es que puedo recordar alguno. Ya sé, hace una semana le escribí un poema de Navidad a Jo. —Macy se sentó erguida como si fuera a hacer una recitación formal—. Debería decirte que a Jo le encanta la Navidad y mantiene muchas tradiciones. Una de ellas es que siempre leemos del Libro de los Hechos de los Apóstoles antes de intercambiar los regalos. Mi poema se llama «Lo que pide la Navidad», por Macy Wood.

Se aclaró la garganta.

Yo sonreí ante su introducción.

La familia se reúne en torno a un libro abierto,
siguen la práctica navideña de cada año,
y juntos leen de la Biblia un texto,
despiertan la historia de su anual sueño.
La Virgen María está de parto, tiene dolor,
busca un sitio donde poder alumbrar,
para deparar al mundo un sucesor,
que el pecado y la angustia va a desterrar.
Va vagando de puerta en puerta y nadie se la abre,

se encuentra en un lugar hostil donde es forastera,
sus súplicas sólo encuentran desaire,
con su santo ruego nadie coopera.
Nosotros también debemos tomar la decisión,
cuando la Navidad va de posada en posada,
la oirás susurrar si prestas atención,
abre entonces, granjéale la entrada.
Leemos sobre pastores que, del mismo modo,
llegada la noche cuidaban de su rebaño,
y que a una señal lo dejaron todo
para buscar al Niño envuelto en paño.
En Navidad, así a nosotros se nos invoca
a que dejemos nuestras vidas atribuladas,
a que ahuyentemos lo que nos sofoca
y a Dios y al hombre abramos nuestras almas.
Los tres Reyes acudieron en peregrinación,
la mirada fija en una nueva luz brillante,
e inspirados por semejante visión,
contemplaron la estrella rutilante.
Y también requiere de nosotros la Navidad,
que así elevemos la vista a más altas esferas,
que prestemos el bien a la humanidad,
sin temores, con esperanzas nuevas.
Y verás que dichos textos, leídos nuevamente,
no sólo se escribieron para tiempos remotos,
el corazón se renueva anualmente,
la Navidad eso quiere de nosotros.

Me miró, expectante.

—¿Qué te parece?

Aplaudí.

—Bravo. Ha sido fabuloso.

—Gracias. Muchas gracias —repuso haciendo teatro—. A Jo le gustó mucho. Me la hizo recitar como una docena de veces.

—Es un buen poema.

—Como te dije, Jo es una auténtica «navidófila». —Las comisuras de sus labios se alzaron en una sonrisa—. No estoy segura de que exista esta palabra.

—A mí me suena como si existiera.

—Sólo tienes que fijarte en cómo tenemos la casa decorada. Jo saca los adornos antes de Halloween.

—Ya los vi. ¿Y tú? ¿Eres una entusiasta de la Navidad?

Macy hizo una pausa.

—Empieza a gustarme. Tuve una larga sucesión de Navidades bastante malas.

—¿Con tus padres?

—No, ésas estuvieron bien. Al menos lo que puedo recordar. Pero las Navidades en casa de los Hummel no es una cosa en la que me guste pensar.

—¿Cómo eran…, miserables?

—No, lo cierto es que Irene compraba un montón de regalos. Incluso para mí. Pero hacer regalos es muy fácil. Recuerdo que me ponía en la cola con los demás, para darle las gracias y besarla, y que ella nunca me dejaba. Era su manera de recordarme que yo era distinta.

Torcí el gesto al oírlo.

—¿Y qué era lo otro que estabas pensando en contarme, pero que creías que era demasiado raro?

—No creo que deba decírtelo. Podrías pensar… que doy miedo. O que estoy loca.

—¿Que das miedo o que estás loca? Ahora sí que tienes que contármelo.

—No.

—No puedes decirme esto y dejarlo en suspenso.

—Pues claro que puedo. Es lo que se nos da mejor a las chicas. Sonreí ampliamente.

—Por favor.

—Está bien. Pero no pienses que soy rara. Prométemelo.

—No sé qué estoy prometiendo, pero te lo prometo.

—¿Palabra de Life Scout?

—Te daría mi palabra de Eagle Scout si pudiera.

—Entonces, vale. —Hizo una pausa, como si estuviera al borde de un alto trampolín y no supiera si saltar o no—. Está bien. —Respiró profundamente—. Tengo sueños que se convierten en realidad.

Asentí como si supiera a qué se refería.

—¿Qué quieres decir?

—Sueño cosas que luego ocurren.

—¿Qué clase de cosas?

—Cosas de todo tipo.

—¿Como qué?

—Bueno, por ejemplo, soñé contigo. La noche antes de que vinieras a The Hut, soñé que estaba a punto de cerrar la cafetería cuando un muñeco de nieve acudió a la puerta.

—¿Un muñeco de nieve?

—La primera vez que te vi estabas cubierto de nieve.

—Vale, es un poco forzado, pero lo acepto. ¿Y qué quería el muñeco de nieve?

—Aún hay más. Quería utilizar el teléfono porque se le había roto el trineo.

Enarqué una ceja.

—Muy bien, no está mal.

—Entonces lo llevé a casa en coche. Para que no se derritiera.

—Vale, ahora ya resulta inquietante.

—Lo sé. Me ocurre muchas veces.

—¿Con qué frecuencia?

—Cada pocos meses. Normalmente, pasa antes de que suceda algún gran cambio, o antes…, antes de que conozca a alguien que va a ser importante en mi vida. Soñé con Jo justo antes de conocerla. En aquel entonces vivía en un refugio para personas sin hogar. Soñé que un ángel que lloraba venía y me llevaba a su casa.

—Me parece asombroso.

—Yo no sé qué pensar al respecto. No todos mis sueños son especiales. La mayoría son como los de cualquier otra persona, pero cuando se trata de algo más que un simple sueño, lo sé. Es una sensación distinta.

—¿En qué sentido?

—Es difícil de explicar. Parece más bien un recuerdo. En ocasiones tengo el mismo sueño más de una vez.

—¿Has tenido algún otro sueño sobre mí?

—No. Pero anoche tuve uno que me preocupó.

—¿Qué fue?

—Estaba buscando a Noel y por algún motivo tenía que regresar a casa de los Hummel para encontrarla. Mi hermana estaba escondida en el dormitorio de la señora Hummel y tenía que rogarle que la dejara salir.

—¿Y lo hizo?

—Sí. Pero aun así no la vi. No recuerdo por qué.

—¿Qué crees que significa?

Hizo un gesto con las dos manos.

—Ésa es la cuestión. No lo sé. Nunca lo sé. Eso es lo que no soporto. ¿De qué sirve tener un sueño si no puedes comprenderlo hasta que se vuelve realidad? —Se estremeció.

—Empieza a hacer frío de verdad. ¿Quieres que volvamos?

—La verdad es que no. Quizá podríamos pegarnos el uno al otro. Para entrar en calor, ya sabes.

—Tengo justo lo necesario. —Devolví la guitarra al coche y traje una manta gruesa de lana. Me senté al lado de Macy y eché la manta por encima de los dos.

—Lo tenías todo planeado —dijo.

—Por supuesto. Éste es el lugar perfecto para una cita. Es romántico, aislado y muy frío.

—Entonces todo esto, la guitarra, la manta, la luna llena, ¿era un montaje?

—No tuve mucho que ver con la luna, pero aparte de eso..., sí.

Ella sonrió.

—Bien.

Nos miramos a los ojos y entonces nos inclinamos al mismo tiempo y nos besamos por primera vez. No recuerdo la secuencia de acontecimientos que siguió, pero fue una borrosidad agradable. La suavidad y calidez de su cuerpo contra el mío, los suspiros de felicidad. La sensación de perfecta complacencia.

Al cabo de una hora nuestra fogata se había extinguido y la temperatura había caído por debajo de cero, hacía demasiado frío, incluso para nuestro calor corporal. De modo que puse el coche en marcha y, en tanto que Macy entraba en calor dentro del vehículo, yo eché unas paladas de nieve sobre la fogata. Entonces volvimos al valle. Durante el camino de vuelta le dije:

—Salt Lake tiene unos cañones enormes. Joette y tú debéis de subir aquí continuamente.

—No, no venimos nunca. A Jo le ocurrió algo terrible aquí.

—¿En el Big Cottonwood Canyon?

—Su pequeña se cayó al arroyo y se ahogó.

Me volví a mirarla.

—¿Allí donde hemos estado?

—No, en una zona de acampada que hay un poco más adelante.

—¿Cuánto tiempo hace de eso?

—Hará unos cinco años. Poco antes de que la conociera.

—Lo siento. Tendría que haber preguntado antes de llevarte allí.

—No, no pasa nada. Ya he estado allí otras veces. Lo que pasa es que no vengo con Jo, y no le contaré que hemos venido esta noche. No es que fuera a enfadarse ni nada por el estilo, sólo que le recordaría lo que pasó. —Se volvió hacia mí—. De manera que, si te lo pregunta, dile que fuimos a Liberty Park.

—Liberty Park —repetí—. ¿Nos preguntará adónde fuimos?

—Por supuesto. Tienes que saber que es muy protectora conmigo. Me estará esperando levantada. Ella es así.

—Eso está muy bien —decidí.

—Sí. Así es. —Se volvió a mirarme—. Quería preguntarte una cosa. ¿Qué vas a hacer el día de Acción de Gracias?

—Mirar la tele. Y probablemente coma comida preparada.

—Es patético. Ven a comer con nosotras. Este año va a ser estupendo. Es el primer año desde hace diez que Joette tiene libre el día de fiesta.

—¿La gente come en Denny's el día de Acción de Gracias? —le pregunté.

—Acción de Gracias es un gran día en Denny's. Tienen pavo, puré de patatas y relleno especial con un pedazo de pastel de calabaza sólo por siete noventa y nueve. No está mal.

Se me ocurrió que Macy sonaba como un anuncio. A pesar de su crítica elogiosa, la idea de hacer allí la comida del día de Acción de Gracias me pareció un poco deprimente. Claro que alguien que tenía la intención de pasarse el día de fiesta en casa con el pavo de una bandeja de comida preparada Hungry-Man no debería poner reparos. O, en este caso, salsa de arándanos.

—¿A Joette no le importará que me cuele en vuestra comida? —le pregunté.

—Claro que no. Le gustas.

—No me conoce.

—Te conoce mejor de lo que crees. Se lo cuento todo.

Pasaba de medianoche cuando metí el coche en la entrada de Macy. Todavía había luz en la casa. Apagué el motor.

—Gracias por invitarme a salir —dijo—. Ha sido divertido.

—Gracias por venir. Sí, ha sido divertido. Sobre todo la parte de los besos —añadí.

Ella sonrió.

—Sí, eso fue muy divertido —me miró a los ojos—. ¿Puedo hacerte una pregunta personal?

—Claro.

—Cuando nos conocimos, me contaste que tu novia acababa de dejarte. ¿Ibas en serio con ella?

—No lo sé. —Miré a Macy y sonreí—. Supongo que ésta es la respuesta. Si no sabes si vas en serio, es que no vas en serio. Ella quería casarse.

—¿Y tú?

—Lo hablamos. Llevábamos una eternidad saliendo, unos cuatro años o así. Yo no sabía si era la mujer adecuada. Se diría que después de cuatro años uno tendría que saberlo.

—Creo que después de cuatro años ya te hubieras marchado si no lo hubiera sido. ¿Cómo era ella?

—Tennys era… —vacilé—. Tennys es la clase de chica que describes con estereotipos.

—¿Qué quieres decir?

—Era popular. Reina de la fiesta de antiguos alumnos, jefa de animadoras, ya sabes.

Macy reprimió una carcajada.

—¿Qué pasa?

—Nada, es que… no te veo saliendo con la reina de la fiesta de antiguos alumnos.

No le conté que a mí me votaron para que fuera el rey.

—¿Por qué?

—Tú eres mucho más… profundo.

—No, ambos somos bastante superficiales. Entre los dos no llenaríamos ni una piscina hinchable decente.

Macy se rió.

—¿Cómo era su personalidad? ¿Era la típica esnob?

—No, Tennys era simpática.

—¿Simpática?

—Sí. Era muy agradable.

—¿Y eso qué quiere decir?

—Pues digamos que lo aceptaba todo como venía. Nada de dramas, ni de problemas. La alegría de la vida sin hacerse preguntas.

—Igual que yo —dijo Macy, y se echó a reír—. Tendrías que haberte casado con ella cuando tuviste la oportunidad.

Sonreí y la atraje hacía mí.

—Sí, probablemente tendría que haberlo hecho.

—Bueno, ¿sigues pensando en venir mañana a comer a casa de Bonnie?

Me había olvidado de ello.

—Por supuesto. ¿Quieres que conduzca?

—Si no te importa. A mí no me gusta mucho conducir.

—Eso es porque eres muy mala conductora.

Me golpeó.

—No soy mala.

—Sí, sí que lo eres. La noche que nos conocimos estuviste a punto de chocar con una farola.

—Fue la ventisca. Tendría que haber dejado que fueras andando a casa tal como ibas a hacer.

—Tendrías que haberlo hecho. Ahora tendrás que aguantarme.

—Sí. Eso espero.

Me incliné para besarla de nuevo. La luz del patio empezó a encenderse y apagarse como una luz estroboscópica. Macy se apartó.

—Te lo dije.

—¿Va en serio?

—No. Sólo nos está tomando el pelo. Es como una broma privada.

—¿Ocurre a menudo?

Macy esbozó una sonrisa coqueta.

—De vez en cuando.

—¿Y qué me dices de ti? ¿Dónde está tu novio?

—He estado haciendo un paréntesis en el tema de los chicos.

—¿Durante cuánto tiempo?

—Desde verano. Desde que rompí con mi último novio.

—¿Ibas en serio?

—No tan en serio como él. —Las luces empezaron a parpadear de nuevo y Macy meneó la cabeza lentamente—. Me vuelve loca —dijo alegremente—. Será mejor que me vaya. —Se inclinó y nos dimos otro beso, y otro. Al final susurró—: Buenas noches.

—Buenas noches.

Se apeó del coche y se fue dando saltos por el camino. Cuando Macy hubo entrado, puse el coche en marcha y me fui a casa. Definitivamente, me di cuenta de que yo sí que me lo estaba empezando a tomar demasiado en serio.

CAPÍTULO

Diecisiete

En algún momento entre el plato principal y el café,
la señora Foster sirvió un nuevo paradigma.

⊠ DIARIO DE MARK SMART ⊠

Llegamos a casa de Bonnie pocos minutos antes de la una. Tocamos el timbre y ella nos gritó que entráramos. La encontramos en la cocina, ocupándose de diversos cazos. Macy fue a ayudarla. Bonnie me asignó la tarea de poner la mesa y luego sacar a *Fred*, su perro, para que «estirara las piernas», cosa que hice. Todos nosotros, incluido el perro, terminamos nuestras tareas más o menos al mismo tiempo. Nos reunimos en la cocina y nos sentamos a comer.

Bonnie había cocinado un asado además de judías verdes frescas, puré de patatas y panecillos de mantequilla calientes. No había comido así desde que me marché de casa. En mitad de la comida, Bonnie me preguntó:

—¿Cuánto tiempo llevas en Utah, Mark?

Yo tenía la boca llena y tuve que terminar de masticar y tragar antes de poder responder:

—Vine hará cosa de un año y medio.

—¿Con cuánta frecuencia vuelves a casa?

—Desde que vine aquí no he vuelto.

—Apuesto a que tus padres te echan de menos.

—Mark acaba de perder a su madre —dijo Macy.

Bonnie me miró con compasión.

—Lo siento. Eso es duro. ¿Cómo lo lleva tu padre?

—Creo que está bien.

—Estoy segura de que te echa de menos. Sobre todo en un momento como éste. —Se volvió a mirar a Macy—. ¿Me pasas las judías, querida?

—Claro.

Bonnie tomó el cuenco y mientras se servía unas cucharadas de judías en el plato le dijo a Macy en tono despreocupado:

—Hablando de padres, encontré al tuyo.

Ambos volvimos la cabeza hacia ella.

—¿Lo encontró? —preguntó Macy.

—Iba a llamarte anoche, pero ya era muy tarde. Eran más de las nueve.

Considerando que ninguno de los dos salía de trabajar antes de las once, eso me hizo gracia.

—¿Cómo lo encontró? —inquirió Macy.

—Recordé que, unos seis meses después de que os entregara en adopción, tu padre se volvió a casar. No duró mucho; no creo que fueran más de unos pocos meses. Pero encontré la invitación. —Se volvió a mirarme—. Nunca tiro esas cosas. La mujer con la que se casó sigue viviendo en Kearns. Espero que no te importe, pero me tomé la libertad de llamarla. Me dijo que tu padre está viviendo en casa de unos amigos. Probablemente, sea por eso por lo que no pudiste encontrar su nombre en ninguna parte.

—¿Esa mujer le dio su dirección? —quiso saber Macy.

—No. Sólo la de ella. Dice que quiere conocerte. En cualquier caso, anoté sus señas. Están en el frigorífico. Iré a buscarlas.

Se retiró de la mesa y fue a la cocina. Regresó al cabo de un momento con una nota adhesiva en la mano.

—Se llama Barbara Norris y vive en el número quinientos de Altura Road, en Kearns. Dijo que eso queda por la Seiscientos dieciséis Oeste, más o menos. Vive en el apartamento trescientos veintiuno.

Le entregó el papel a Macy.

—Gracias, Bonnie.

—Tendrás que hacerme saber cómo sale todo. Y ahora sigamos comiendo antes de que se enfríe.

CAPÍTULO

Dieciocho

Da la sensación de que nuestro viaje es como
un juego de tablero en el que cada tirada de los dados
nos lleva a una casilla nueva. Hoy hemos ido a parar
a una casilla de lo más extraña.

⊠ DIARIO DE MARK SMART ⊠

Me fijé en que Macy no había comido mucho desde el anuncio de Bonnie. Estoy seguro de que estaba haciendo todo lo posible para no levantarse de la mesa de un salto y marcharse corriendo a ver a esa mujer. A pesar de las objeciones de Bonnie, fregamos los platos y luego pasamos al salón para tomar el postre y el café. La anciana sacó unos rollos de papel perforado y puso en marcha la pianola. Cuando me di cuenta de que lo más probable era que Bonnie nos retuviera toda la noche, me disculpé diciéndole que tenía que volver a casa. Macy sabía que no tenía que ir a ningún sitio y me dirigió una mirada de agradecimiento. Prometió regresar el domingo siguiente y nos despedimos de la mujer. Al subir al coche se volvió hacia mí y me dijo:

—Gracias.

Entonces me tendió el papel con la dirección de la mujer.

Al cabo de diez minutos nos encontrábamos delante de la puerta de un apartamento del tercer piso. Macy pulsó el timbre. Entonces miró el felpudo que daba la bienvenida mientras iba pasando el peso de su cuerpo de un pie a otro, nerviosa. Oímos unos pasos que se aproximaban y la puerta se abrió hasta que se tensó la cadena, dejando al descubierto la mitad de un rostro femenino.

—¿Sí?

—Estamos buscando a Barbara Norris —le dije.

—Yo soy Barbara Norris.

—Soy Macy Wood —anunció Macy.

La mujer tardó un momento en ubicar el nombre.

—¡Ah! —cerró la puerta para descorrer la cadena y volvió a abrirla—. ¡Caramba! No me esperaba que fueras tan mayor —me miró—. ¿Y éste es?

—Éste es mi amigo Mark.

—Hola —dije.

La mujer agitó la mano exageradamente.

—Pasad. Entrad los dos.

Macy entró primero y Barbara la rodeó con los brazos.

—Bienvenida, cielo. Bienvenida, bienvenida, bienvenida. —Podría decirse que Macy absorbió el saludo. Yo cerré la puerta y me quedé a unos pocos pasos de distancia, observando. Cuando soltó a Macy, vino a por mí—. No te conozco, pero si estás con nuestra pequeña eres de la familia.

La mujer me dejó sin aliento.

—Sí, señora.

—Y ahora sentaos, los dos. No, ahí no, en el sofá. —Me empujó hacia la pieza de mobiliario más fea que había visto jamás: un sofá cama con un estampado chillón de color verde, rojo y dorado. Ella tomó asiento en el otro único mueble que había en la habitación: una silla de madera del juego de la cocina. Por un momento se limitó a mirar a Macy—. ¿Sabes que tu padre habla de ti constantemente? Lleva una fotografía tuya en la cartera. Pero en esa foto no eras más que una cría. ¡Caramba!

—No, no lo sabía —contestó Macy.

—Pues claro que no. Y aquí estás. Desde la primera vez que tu padre me habló de ti que he querido conocerte. —Me miró—. ¿Alguna vez cesan los milagros?

—No lo sé —respondí. No estaba seguro de si la mujer esperaba o no una respuesta, pero me pareció que sí.

—No cesan, créeme, no cesan.

—¿Estuvo casada con mi padre? —le preguntó Macy.

—Podría decirse así. He tenido catarros que me han durado más. —Miró a Macy y su tono de voz descendió una octava—. No sé cuánto sabes sobre tu padre, pero es un drogadicto.

—Sí, lo sé —dijo Macy—. ¿Usted lo sabía?

—Al principio, no. Pero cuando lo descubrí, ya estaba enamorada de ese hombre. —Me miró y levantó la vista al cielo—. El amor lo conquista todo, ya sabes. —Se echó a reír con dramatismo—. Sí, bueno… Él fue otro más de una larga lista de fracasados que había que reformar.

—La señora Foster me dijo que usted sabe dónde está mi padre —dijo Macy.

—Sí, seguimos hablando cada dos por tres. Somos más buenos amigos ahora que estamos divorciados.

—¿Vive lejos de aquí?

—No creo que tu padre se aventurara nunca a alejarse de aquí. Ya lo conoces.

Macy frunció el ceño.

—No. La verdad es que no lo conozco.

—De acuerdo. Estoy segura de que sólo has pasado por aquí para verle. Sólo quiero que estés preparada. Está muy enfermo.

—¿Por las drogas?

—Y por todo lo demás con lo que maltrató a su cuerpo. Sabe Dios qué es lo que lo mantiene con vida. Necesita un trasplante de hígado, pero pertenece a un grupo de tan alto riesgo que los médicos se lo negaron. Creo que el hospital lo mandó a casa desahuciado. Ha estado viviendo con un amigo. —Miró a Macy a los ojos—. Le hace muchísima ilusión verte.

—¿Sabe que lo estoy buscando?

—Se lo conté anoche, después de que llamara esa señora. Me pidió que te pusiera al teléfono en cuanto llegaras. —Se agachó y recogió un teléfono inalámbrico que había en el suelo junto a la silla—. ¿Estás lista?

Macy me miró y respiró hondo.

—Sí.

Barbara marcó el número de memoria y le pasó el auricular a Macy. Ésta se lo llevó al oído mientras Barbara y yo la observábamos.

—Hola. ¿Está Marshall Wood?

Hubo una pausa.

—¿Papá? Soy Macy.

CAPÍTULO

Diecinueve

Encontramos al padre de Macy.
Hoy he aprendido algo valioso.
Muchas veces las mayores penas de nuestras vidas
acontecen por huir de otras más pequeñas.

⊠ DIARIO DE MARK SMART ⊠

El padre de Macy vivía a menos de cuatro kilómetros de casa de su ex esposa, en el extremo sudeste de la ciudad de Kearns. Aquella zona no era exactamente un barrio de clase alta y todas las viviendas eran como cajas de zapatos construidas de forma ordenada a lo largo de unas calles estrechas bordeadas de automóviles viejos.

En el maltrecho camino de entrada los bajos del coche golpearon ruidosamente contra la cuneta y alertaron a los residentes de nuestra llegada. Me fijé en que alguien retiraba las cortinas de la ventana delantera y luego desaparecía.

Apagué el motor y miré a Macy. Aquélla era la tercera vez que me encontraba sentado con ella anticipando un encuentro que podría cambiarle la vida. Sólo que en aquella ocasión ya sabíamos a quién íbamos a encontrar. Macy parecía estar muy tensa y jugueteaba con un anillo que llevaba en el dedo.

—¿Qué estás pensando? —le pregunté.

—Un millón de cosas distintas. Es extraño, llevo toda la vida esperando este momento y aun así no sé cómo se supone que tengo que actuar. ¿Y si echo a perder la oportunidad? ¿Y si pierdo los estribos y empiezo a gritarle por lo que nos hizo?

—Será porque se lo merece. —Alargué el brazo y le cogí la

mano—. Tú haz lo que te salga de forma natural. Hagas lo que hagas, será lo adecuado.

Me miró de manera enternecedora y me di cuenta de lo vulnerable que era y lo asustada que estaba. No pude evitar pensar lo hermosos que eran sus ojos.

—Gracias por estar aquí —me dijo.

La miré y sonreí.

—¿Cómo me metí en todo esto?

—Me pediste que te dejara usar el teléfono.

—La verdad es que tendría que comprarme un móvil —afirmé.

—Tendrías que comprarte un teléfono, punto —declaró.

—Esa mujer, Barbara, era… interesante.

De pronto Macy sonrió ampliamente.

—¿Interesante por ser fascinante o interesante como en una pesadilla?

Yo le devolví la sonrisa.

—Sí.

—Tal vez mi padre sea igual.

—Eso explicaría muchas cosas de ti.

—Eres muy malo. —Se rió, y estuvo bien ver que se relajaba. Me apretó la mano—. Muy bien, vamos allá.

Salimos del coche y nos acercamos a la puerta. Dos vigas de madera pintada, ambas desconchadas y rayadas, sostenían el porche delantero. Unas campanas de viento hechas con tenedores y cucharas de hojalata aplanada colgaban del pórtico. No había timbre, de modo que llamé con los nudillos. Un hombre abrió la puerta casi de inmediato. Era calvo y bajo, de unos sesenta años tal vez, y con un vientre que le colgaba por encima de la cinturilla de los pantalones. Me miró y luego posó la mirada en Macy. Ella lo miró sin saber si era su padre o no.

Intuí su confusión.

—¿El señor Wood? —pregunté.

—No. Yo soy Ken. Marshall está en la cama. —Se dirigió a Macy—. Tu padre te está esperando.

Le puse la mano en la espalda.

—Adelante.

Macy entró y seguimos a Ken hasta un dormitorio situado al final del pasillo. Ella entró por la puerta abierta y se detuvo. Alzó ambas manos y se tapó la boca. Yo me quedé detrás de ella y miré por encima de su hombro. Su padre yacía en la cama, recostado en unas almohadas con las sábanas hasta la cintura. Nunca había visto a un hombre adulto tan delgado como él. Un tubo de oxígeno le rodeaba las orejas y le penetraba por la nariz. Tenía los ojos hundidos y llenos de lágrimas.

—¡Pequeña! —la llamó.

Macy no podía hablar.

—Ven aquí, pequeña.

Ella se acercó y se inclinó para que la abrazara. Ambos estaban llorando.

—Por fin en casa —dijo él mientras le estrujaba el pelo con los dedos—. Por fin en casa. —Ken y yo entramos en la estancia y contemplamos el encuentro.

—Te he echado de menos —dijo.

—Yo también te he echado de menos —repuso Macy.

—Mira, Ken. Mira lo guapa que es mi pequeña.

—Ya lo veo.

Se volvió hacia mí.

—¿Éste es tu novio?

—Sí —respondió Macy sin mirarme.

—Soy Mark —me presenté.

—Encantado de conocerte —me dijo.

—Encantado de conocerle, señor.

—¿Cuánto tiempo ha pasado? —le preguntó a Macy.

—Catorce años, un mes, dos semanas y tres días.

El hombre meneó la cabeza.

—¿Recuerdas el último día que pasamos juntos?

—Celebramos todas las fiestas.

—Eso es. Pensé que tal vez no volvería a verte nunca más. De manera que quise incluir tantos recuerdos como me fuera posible. Pascua. Halloween. Navidad. ¿Todavía conservas el adorno de tu madre?

—Sí. Lo he llevado siempre conmigo.

—Esos adornos eran muy importantes para tu madre. Incluso cuando se estaba muriendo hablaba de ellos. Tu hermana Noel tiene uno igual.

Macy reaccionó al oír el nombre de Noel, casi como si al pronunciarlo se hubiera producido una descarga de alto voltaje. Se apartó de él.

—Háblame de Noel. ¿La sigues viendo?

Él se quedó callado unos instantes y de pronto le acometió un acceso de tos.

—No. No la he visto desde el día que os apartaron de mi lado. —Vio la decepción en el rostro de Macy—. Lo que más lamento, aparte de haberos perdido a las dos, es haberos separado. Eso nunca tendría que haber ocurrido. Le prometí a vuestra madre que no dejaría que ocurriera. —De repente se ahogó de la emoción—. Pero no cumplí mi promesa.

Macy le frotó el brazo.

—La recuerdo muy poco. Es como si estuviera ahí, en mi cabeza, en alguna parte, pero fuera de mi alcance. —Miró a su padre con aire sombrío—. Háblame de ella.

—¿Recuerdas lo que ponía en tu adorno?

—Noel. Veinticinco de diciembre.

—Fue la primera Navidad de Noel. Nació el día de Navidad. Yo quería llamarla Holly, pero como el apellido era Wood tu madre no quiso. De modo que la llamamos Christina Noel. Tu madre quería que se llamara Christina por Cristo, el niño Jesús.

—No me acordaba de su nombre… —confesó Macy.

—Su pérdida fue traumática para ti, pequeña. Probablemente no te acuerdas, pero tú eras su madre. Le preparabas el desayuno, la vestías, la bañabas. Un consejero del centro de rehabilitación me contó que cuando los padres no están, a menudo el hijo mayor toma el relevo. Dijo que supieron de mí porque cada día llevabais sándwiches de patatas fritas al colegio. —Exhaló de manera audible—. Yo no servía para mucho antes de que tu madre muriera. Pero después… —La miró con tristeza.

—Yo sólo tenía cinco años cuando mamá murió.

Él asintió con la cabeza.

—Sí, así es.

—¿Sabes dónde está Noel?

—No. Primero la llevaron a una casa de acogida y luego la adoptó otra familia. Tuve que renunciar a mis derechos, entonces estaba en rehabilitación y ahora tengo la cabeza llena de serrín. No recuerdo demasiado bien las cosas. Pero estoy seguro de que algún funcionario estatal lo sabrá.

Macy torció el gesto.

—El Estado no va a decírmelo. Su expediente está sellado.

Por un momento la energía de la habitación se consumió. Luego a su padre se le iluminó el semblante.

—Sé de alguien que podría saberlo.

—¿Quién? —le preguntó Macy con impaciencia.

—Esa mujer que te adoptó. Hummel.

Una fugaz expresión de dolor cruzó por el rostro de Macy.

—¿Por qué iba a saberlo ella?

—La asistenta social me dijo que la familia que adoptó a Noel tuvo problemas. Tu hermana se pasó semanas llorando por ti. Al final la familia intentó encontrarte. ¿No te acuerdas?

—La vi una vez. Fue en la citación ante el juez para nuestra adopción. Recuerdo que la señora Hummel discutió con la mujer que estaba con Noel. Después ya no volví a verla.

Marshall Wood puso mala cara.

—Es una pena. —Se hizo el silencio—. ¿Cuánto tiempo llevas buscándome? —le preguntó su padre.

—No mucho. Pero llevo toda la vida pensando en verte…, preguntándome qué ocurriría si tropezara contigo en una gasolinera o en el supermercado.

El hombre asintió con la cabeza al oír sus palabras.

—Esperaba que vinieras.

—¿Por qué no viniste a buscarme?

—Tenía miedo. Estaba seguro de que me odiarías.

Macy no respondió de inmediato.

—No te odio.

—Deberías odiarme, compañera. Te defraudé. Defraudé a toda la familia.

—No pudiste evitarlo…

—Macy, no me busques excusas. Lo que hice no tiene excusa. ¿Alguna vez hubo alguna buena excusa para que un padre abandonara a sus hijos?

—No lo sé —repuso Macy.

Por un momento permanecieron mirándose a los ojos.

—Deberías saber que hay un motivo. No una excusa, pero sí un motivo. Sé que ahora difícilmente importa ya, que no se puede cambiar el pasado, pero nunca fue mi intención convertirme en el fracasado que soy. Cuando tenía siete años, tuve la polio. Me dieron medicamentos para el dolor en grandes cantidades. Nunca dejé de utilizarlos. No pude dejarlos. Al mirar atrás… —Meneó la cabeza—. Si hubiera sabido lo que me iba a costar, hubiera elegido el dolor. Las mayores penas de nuestras vidas acontecen por huir de otras más pequeñas.

Macy retrocedió y se quedó mirándolo un momento. No sabía qué estaba pensando, pero vi algo en ella que no había visto antes: algo mucho más viejo que la joven que acababa de conocer hacía unas semanas. Se tocó la comisura del ojo y dijo en voz baja:

—He sufrido, papá. Mucho más de lo que nadie se imagina. Abusaron sexualmente de mí en el centro de tratamiento para las drogas al que te enviaron. La malvada mujer que me adoptó me pegaba casi todas las semanas. Durante tres meses viví en la calle. Pasé seis semanas durmiendo junto a un contenedor de basuras de un supermercado Wal-Mart. Te sorprendería lo que se puede llegar a hacer por un bocadillo de queso cuando llevas cuatro días sin comer. Tienes razón. Debería odiarte. Pero no te odio. Te compadezco. Por muy mal que lo haya pasado yo, nunca me he desprendido de nada que debiera conservar. Y nunca he traicionado a nadie que haya querido. No puede haber nada peor que eso.

Marshall Wood empezó a llorar.

—Lo siento mucho, pequeña. Lo siento muchísimo.

La voz de Macy se suavizó:

—Ahora tengo que marcharme —dijo. Se inclinó para abrazarlo.

Cuando pudo volver a hablar, el hombre le preguntó:

—¿Volveré a verte?

Ella asintió con la cabeza.

—Tenemos que ponernos al día de muchas cosas.

Marshall seguía llorando cuando Macy y yo salimos de la habitación. Me volví a mirarlo una vez más antes de marcharnos. Yo también lo compadecía.

Macy estuvo callada durante casi todo el viaje de vuelta a casa. No podía imaginarme lo que estaba pensando. Cuando nos detuvimos en un cruce de State Street, habló:

—¿Por qué tengo que volver a ese lugar? ¿Por qué esa mujer tiene que formar parte de esto?

La miré.

—Lo soñaste, ¿recuerdas?, soñaste que tenías que volver a casa de los Hummel a buscar a Noel.

—No es justo.

—Quizás exista un motivo por el que debas volver.

—Sí —replicó ella con sarcasmo—, como que no he sufrido bastante.

—Tal vez sea porque lo has hecho.

No me respondió, se limitó a mirar por la ventanilla durante el resto del camino. Era tarde y tuve la sensación de que quería estar sola, de manera que la dejé en su casa y luego me fui a mi apartamento.

CAPÍTULO

Veinte

No sé cómo ni cuándo ocurrió exactamente,
pero Macy me ha atrapado.

☒ DIARIO DE MARK SMART ☒

Una vez, durante un sermón en la iglesia, oí decir a un sacerdote que si echabas una rana en un cazo de agua hirviendo saldría de un salto. Pero si echabas la rana en agua fría y luego ibas añadiendo agua hirviendo a cucharaditas, podías hervirla viva.

El sacerdote hablaba metafóricamente sobre el pecado, lo cual está bien porque no sé por qué iba a querer nadie hervir una rana. Pero creo que el cura podía haber utilizado también la misma analogía para el amor romántico. En ocasiones, el amor ocurre de forma tan gradual que cuando te das cuenta de que te has metido en él ya estás cocinado, si me perdonáis la comparación. Al menos así fue con Macy y conmigo.

No sabría decir cuándo tomé la determinación de pedirle que se casara conmigo, pero fue durante el viaje de regreso de casa de su padre que caí en la cuenta por primera vez de que lo había decidido.

Sé que visto desde fuera probablemente parezca una locura. Al fin y al cabo, sólo hacía tres semanas que la conocía, pero parecía mucho más tiempo. Para citar incorrectamente a Frost, aunque hacía poco tiempo que albergaba esa clase de sentimientos hacia Macy, ello quedaba compensado por la intensidad de los mismos. Estaba locamente enamorado de esa chica, hasta los tuétanos, hasta el punto de tener que pellizcarme para saber si estaba soñando. Quería que estuviéramos juntos y no podía imaginarme otra alternativa. Cuando al fin encuentras a la persona con la que quieres pasar el resto de tu vida, quieres que el resto de tu vida empiece lo antes posible. Decidí que la noche del día de Acción de Gracias era un buen momento para proponerle matrimonio.

CAPÍTULO

Veintiuno

*Hoy Macy se ha enfrentado a su mayor miedo y,
con ello, a sí misma. Normalmente, los mejores regalos de la vida
vienen envueltos en adversidad.*

⊠ DIARIO DE MARK SMART ⊠

El lunes el instituto cerraba por el congreso de padres y profesores y tuve que entrar a trabajar temprano. Hacia las tres ya había terminado y llamé a Macy de camino a casa para ver qué tal estaba.

—Voy a ir a ver a Irene —me dijo. Su determinación le endureció el tono de voz.

—¿Quieres que vaya contigo?

—Esto tengo que hacerlo sola. ¿Pasarás por casa esta noche, más tarde?

—Sí. ¿A qué hora?

—¿Sobre las ocho?

—Allí estaré. Buena suerte.

—Gracias. La necesitaré.

El camino en coche hasta el antiguo vecindario llenó a Macy de terror. La casa de los Hummel se encontraba a tan sólo unos ocho kilómetros de donde Joette y ella vivían actualmente, pero en su mente había quedado relegada a otra parte del mundo. O del sistema solar. Tenía las manos sudorosas y frías y se las limpió en las perneras del pantalón.

La calle era más corta y estrecha de lo que ella recordaba. Habían pasado casi siete años desde la última vez que estuvo allí y se sentía como un veterano de guerra regresando al escenario de una gran batalla. Ahora parecía un lugar muy tranquilo e inofensivo.

Aparcó al otro lado de la calle, frente a la casa. Ésta no había cambiado mucho desde que se marchó, aunque parecía más pequeña de lo que recordaba. En casa de los Hummel muy pocas cosas cambiaban deliberadamente, sólo a causa del abandono y el deterioro.

En el camino de entrada había aparcada una camioneta Dodge de color rojo tomate con un quitanieves amarillo montado en la parte delantera y con un letrero en la puerta del lado del conductor en el que se leía: HUMMEL, CUIDADO DE JARDINES.

Macy bajó del coche, se dirigió a la puerta principal y llamó con firmeza, como para demostrarse a sí misma la fuerza de su determinación. No se molestó con el timbre. Nunca había funcionado mientras ella vivió allí y sabía que nadie lo habría reparado.

Abrió la puerta Bart. Macy no lo había visto desde que se marchó. Cuando eran niños, ya era mucho más grande que ella, y había crecido considerablemente; ahora le sacaba casi treinta centímetros. Aunque era invierno, iba vestido con unos pantalones de baloncesto y una camiseta. Una barba de varios días sombreaba su mandíbula y en la mano llevaba una lata de cerveza barata. La miró y una sonrisa de reconocimiento se extendió por su rostro.

—¡Pero si es Mace!

—Hola, Bart.

—¿Qué haces aquí? Pasa.

A Macy le sorprendió su bienvenida. Entró en la casa. La vivienda parecía estar prácticamente igual que cuando ella se fue; de hecho, parecía estar igual que cuando llegó por primera vez a casa de los Hummel. El único cambio era un nuevo mueble con una televisión dentro.

Mientras recorría la habitación con la mirada, los recuerdos y el resentimiento la inundaron como el agua en una barca volcada. La casa seguía apestando a perro y el olor le dio náuseas. Se preguntó cómo había podido vivir con él todos aquellos años. Esperaba que *Buster* se abalanzara sobre ella en cualquier momento, gruñendo y amenazando como hacía con todos los intrusos. No lo hizo.

—¿*Buster* aún anda por ahí?

—No. Murió hace un par de años. —Bart cerró la puerta detrás de Macy—. ¿Quieres una cerveza?

—No, gracias.

El chico señaló el sofá.

—Siéntate.

Macy echó un vistazo a su alrededor con cautela. No había señales de Irene. Tomó asiento en el sofá. La tela de los almohadones estaba muy desgastada y los muelles cedieron más de lo que deberían para una persona de su tamaño.

—Pensaba que no volveríamos a verte nunca.

Ella miró el pedazo frío de tostada con mantequilla que había en el cojín a su lado y se preguntó cuánto tiempo llevaría allí. Lo dejó en el brazo del sofá.

—Yo también.

Bart se sentó frente a ella sujetando la lata con ambas manos entre las piernas.

—Estás muy guapa. ¿Te has casado?

—No.

—Bueno, ¿qué te trae por aquí?

—He venido a ver a Irene. ¿Está aquí?

—Siempre está aquí.

—¿Ya no sale?

—¿De casa? —preguntó, como si Macy estuviera bromeando—. No, a veces sale del dormitorio, pero últimamente ya ni eso. —Se llevó la lata a la boca y la apuró—. Se pasa la mayor parte del tiempo ahí tumbada y llamándome a gritos.

—¿Ahora está durmiendo?

—O eso, o viendo la televisión. —Estrujó la lata con la mano—. Dime, ¿dónde vives? ¿Sigues en Utah?

—Vivo en el centro.

Bart asintió con la cabeza.

—¿Cómo es tu casa?

—Está bien. Tengo una compañera de piso. —Macy miró nerviosamente hacia el pasillo, preguntándose si Irene elegiría aquel momento para hacer una de sus poco frecuentes apariciones.

—¿Sobre qué necesitas hablar con ella?

—Estoy buscando a mi hermana.

Bart la miró desconcertado.

—Sheryl está en Colorado.

—A mi verdadera hermana.

En aquel preciso momento les llegó un grito agudo desde el pasillo:

—¡Bart!

Una sonrisa sardónica cruzó por el rostro del chico como para decir: «¿Ves lo que tengo que soportar?» No habían pasado ni treinta segundos cuando la voz se oyó de nuevo con la misma intensidad:

—¡Bart!

—¿Qué? —respondió él, también a gritos.

—¿Quién está ahí?

El chico miró a Macy.

—Hoy tiene uno de esos días. Tiene migraña. ¿Estás segura de que quieres verla?

—Estoy segura de que no quiero, pero necesito verla.

—De acuerdo —se puso de pie—. Vamos.

Se dirigieron a la puerta situada en el extremo del pasillo oscurecido. Bart la abrió ligeramente y penetró en las sombras del dormitorio. La luz estaba apagada y las persianas bajadas. Macy entró tras él sin hacer ruido.

—¿Quién ha venido? —preguntó Irene. Habló con voz baja y ronca. Macy sólo pudo distinguir una mole en la cama. La parte superior de la mole se dio la vuelta—. ¿Quién está contigo?

—Es Macy.

—¿Quién?

—Macy. Tu hija.

La mole no se movió.

—¿Y qué quiere ésa?

—¿Por qué no se lo preguntas tú?

Macy se acercó a la cama. Entonces pudo ver a la mujer por debajo de las mantas. Irene había engordado por lo menos veinte kilos y Macy se sorprendió al ver lo mucho que había envejecido durante los años transcurridos desde que se marchó. Habló en tono calmado:

—He venido a ver si sabes dónde está mi hermana Noel.

La mujer alargó el brazo y tomó un trago de un vaso que había en la mesilla. Se atragantó. Cuando se le pasó el acceso de tos, dijo:

—¿Y por qué iba a saberlo?

—Porque sabes quiénes son sus padres adoptivos.

Irene dio un ligero resoplido.

—No sé de qué me hablas.

—Sí, sí que lo sabes. Necesito saber su apellido.

Irene volvió a coger el vaso y tomó otro trago, seguido de otro ataque de tos aún más fuerte que el anterior. Se secó la boca con el brazo.

—¿Dónde has estado?

—Necesito saber cómo se llaman los padres de Noel.

—No puedo ayudarte —repuso ella, y se dio la vuelta.

Macy soltó aire con frustración. Bart se acercó a la cama.

—Díselo, madre.

—No —contestó ella con una actitud absurdamente infantil.

—Díselo ahora mismo.

La señora Hummel no respondió.

—De acuerdo, pues voy a llamar —dijo Bart y se dirigió al teléfono y levantó el auricular—. Debería haberlo hecho hace meses. —Pulsó varios números del teclado.

—Espera, no lo hagas —suplicó Irene. Su voz tenía un dejo de pánico.

—Pues díselo.

La inquietud de la mujer resultaba evidente.

—Será mejor que te des prisa, ya está sonando.

—Se llaman Thorup —gimoteó.

—¿Thorup? —repitió Bart.

—Él es abogado. Vivían en uno de esos barrios ricos y lujosos de la montaña.

Bart colgó el teléfono.

—¿Estás segura? —preguntó Macy.

—Pues claro que estoy segura —le contestó ella con amargura—. Un nombre como Thorup no se te olvida. Suena como «vomitar»[6].

Macy meneó la cabeza y miró a Bart.

—Gracias —dijo, y se dirigió a la puerta.

—¿Adónde vas? —gritó Irene.

—A mi casa —respondió Macy.

Bart la acompañó hasta el porche. Ella se detuvo para hablar con él.

—Gracias por tu ayuda.

—Es lo mínimo que podía hacer. ¿Estás bien?

—Sí —ladeó la cabeza— ¿A quién llamabas?

—En realidad, a nadie. Pero ella pensaba que estaba llamando al geriátrico. Funciona como una punzada. No dejo de amenazarla con mandarla allí. A veces es la única manera de conseguir que

---

6. Se refiere a la similitud fonética entre el apellido Thorup y el verbo *throw up* que en inglés significa «vomitar».

haga algo. —Frunció el ceño—. Debe de haberte resultado difícil... volver aquí.

—Creía que sería peor. Ya sabes, algunas personas se van fortaleciendo en tu mente hasta convertirse en poderosas y aterradoras. Cuando la he visto ahí tendida, lo único que he sentido ha sido lástima.

—Lamento la manera en que te trató. La manera en que te tratamos todos nosotros.

Macy lo miró con aire pensativo.

—Has crecido.

Bart sonrió, pero no dijo nada.

—¿Dónde están Ronny y Sheryl?

—Ron se casó y se alistó en el ejército. Está estacionado en Maryland. Sheryl también se casó, pero ya se ha divorciado. Vive en Boulder con su pequeño.

—¿Y qué me dices de ti? ¿A qué te dedicas?

—Corto céspedes. En invierno quito la nieve. Y, entre una cosa y otra, cuido de mamá.

—¡Qué afortunado!

—Alguien tiene que hacerlo. De todos modos, no todo es malo. Ella se pasa casi todo el tiempo en su dormitorio. El alquiler es gratis y tiene televisión por cable. —Se frotó la nariz—. No creo que siga por aquí mucho más tiempo. El médico dice que tiene un inicio de senilidad prematura; la mitad del tiempo no sabe ni dónde está. Tienes suerte de habérselo preguntado antes de que se le olvidara.

—Supongo que sí. —Macy se inclinó hacia delante y por primera vez en su vida se abrazó con su hermano—. Cuídate, Bart.

—Tú también.

Macy bajó a la acera. Al llegar al bordillo, Bart la llamó.

—¡Eh!

Ella se dio la vuelta.

—No seas tan cara de ver. Pásate por aquí algún día.

Macy logró esbozar una sonrisa.

—Tú cuídate. —Caminó hasta su coche, y por primera vez dejó atrás de verdad a los Hummel.

CAPÍTULO

Veintidós

Esta noche Macy se ha quedado dormida entre mis brazos.
No estoy seguro de que el cielo pueda ser mejor que eso.

⊠ DIARIO DE MARK SMART ⊠

Estaba esperando a Macy cuando llegó a casa. Nos sentamos en el sofá, con la habitación a oscuras, excepto por el parpadeante brillo azul del televisor. No estábamos tan interesados en la programación como en abrazarnos. Al terminar el programa apagué el aparato, dejando la habitación completamente a oscuras y momentáneamente silenciosa. Macy se acurrucó contra mí.

—Tengo miedo, Mark —dijo en voz baja.

—¿De qué?

—De encontrarla. —Más silencio—. Tengo la sensación de haber recorrido todo este camino para detenerme a un paso de la línea de meta, ¿sabes? No sé si puedo hacerlo.

En aquel momento el reloj de pie de la entrada dio la una, lo cual fue seguido por unas campanadas como las de la catedral de Winchester. Cuando el sonido se apagó, le pregunté:

—¿Te da miedo que no quiera saber nada?

Macy respiró hondo.

—¿Y si es así?

—No lo sé. —Le acaricié el pelo con los dedos—. Pero ¿sabes lo que sería aún peor?

—¿Qué?

—Que hubiera estado esperándote toda su vida y tú nunca acudieras porque tuvieras miedo.

—A veces eres muy agudo.

—¿Sólo a veces?

—Sólo a veces.

La apreté más contra mí y le acaricié suavemente la espalda. Cuando Joette volvió a casa, Macy se había dormido sobre mi pecho.

CAPÍTULO

Veintitrés

Nunca me he sentido verdaderamente cómodo
con las personas limpias y brillantes de este mundo.
La vida me ha enseñado que, por regla general,
las más honestas y dignas de confianza
son aquellas que están ajadas.
No siempre, pero sí normalmente.

⊠ DIARIO DE MARK SMART ⊠

A Macy no le costó encontrar la dirección de los Thorup. Sólo había dos familias Thorup en el valle de Salt Lake y sólo una en el East Side. Aun así, pasaron dos días más y no fue hasta la víspera del día de Acción de Gracias cuando Macy estuvo preparada para ver a Noel.

Los Thorup vivían en una urbanización muy bien cuidada formada por viviendas de clase media alta; una población de mamás devotas y automóviles de lujo. Macy nunca había estado en aquella zona de Salt Lake. El grosor de la nieve del suelo era considerablemente mayor que en el valle y los quitanieves habían dejado montículos blancos frente a las casas que en algunos puntos sobrepasaban el metro de altura.

La vivienda de los Thorup estaba situada al final de una calle sin salida bordeada por unos árboles en hibernación que se inclinaban sobre la calzada. Macy volvió a comprobar la dirección y luego aparcó el coche frente a la casa. Se apeó del vehículo y contempló la vivienda con sobrecogimiento.

Noel vivía en una casa de dos pisos estilo *château* francés con fachada de piedra y estucado veneciano. Cerca de la puerta principal había una torrecilla de casi nueve metros de altura coronada por una techumbre y un remate de cobre con pátina de cardenillo, ambos desgastados. Sólo el garaje ya era más grande que su casa, pensó Macy, y se alegró al pensar que su hermana había crecido en semejante palacio. Era la casa más hermosa que había visto jamás.

El jardín estaba rodeado de arbustos podados en forma aplanada. Había unos renos de plástico en la parte delantera, y aunque era de día, las luces de Navidad estaban encendidas. Un Volvo familiar que todavía llevaba la matrícula de papel del concesionario en la ventanilla trasera estaba aparcado en el camino empedrado.

Macy recorrió lentamente el sendero bordeado de ladrillos hasta llegar a la entrada, un pórtico enorme que sobresalía de la torrecilla. La puerta principal era un bloque sólido de roble con la parte superior arqueada y paneles en relieve con flores de lis grabadas a mano. La puerta estaba engalanada con una gran corona de Navidad colocada en el centro, hecha de parra, acebo y eucalipto, atada con cinta y adornada con granadas.

Frente a la puerta había un felpudo rojo y verde muy propio de la época en el que se leía BIENVENIDO, SANTA, palabras que estaban parcialmente tapadas por una pegatina que anunciaba la colecta anual de alimentos por parte de la tropa de Boy Scouts local para el día de Acción de Gracias. El hogar de Noel formaba parte de un mundo completamente distinto.

Macy permaneció un momento delante de la puerta mientras su respiración empañaba el aire frente a ella. Las ideas empezaron a fluir por su cabeza y la realidad del inminente encuentro la llenó de pánico. ¿Reconocería a su hermana cuando la viera? ¿Noel la conocería a ella? ¿Qué le diría si no era así? «Hola, tú no me conoces, pero soy tu hermana.»

En el centro de la corona había una sólida aldaba dorada; Macy llamó con ella tres veces. Aunque le pareció oír movimiento en el interior de la casa, nadie acudió a la puerta. Pulsó el timbre. Se oyó una especie de campanada nítida y prolongada dentro de la casa, seguida por un ruido de pasos rápidos y suaves.

La puerta la abrió una mujer atractiva que parecía tener cerca de cincuenta años. Era delgada, con el cabello rubio y corto. Llevaba puesto un jersey de cuello alto de lana color gris, una cadena plana de plata con tres perlas, pendientes de perlas, una falda de lana negra y zapatos de piel negra de tacón. Aunque sonrió a Macy, detrás de su alegre fachada había cautela.

—¿Puedo ayudarte en algo?

Macy hundió aún más las manos en los bolsillos.

—Hola. ¿Señora Thorup? Estoy buscando a Noel.

La mujer la miró con expresión desconcertada.

—¿Noel?

—¿Christina Noel?

La mujer tensó aún más el gesto.

—Hace mucho tiempo que nadie la llama así. Christy no está.

«¿Christy?»

—¿Tiene que volver pronto? Puedo esperar.

—Christy no vive aquí. ¿Puedo preguntarte quién eres?

Hubo algo en la manera de preguntar de la mujer que hizo que Macy se sintiera todavía más incómoda. Entonces su expresión dejó traslucir que lo había comprendido de pronto.

—Eres Macy, ¿verdad?

—Sí, señora.

—Claro que sí. Te pareces a Christy. —La mujer retrocedió y desbloqueó el paso—. Iba a salir, pero puedes entrar un minuto.

Macy miró a su alrededor, pues la acometió un miedo súbito de entrar en la casa.

—Pasa. Hablemos.

—Gracias. —Macy entró en el vestíbulo de suelo de mármol. Por encima de ella, una araña de cristal Strauss colgaba del centro de la torrecilla, rodeada por una escalera en espiral que subía al rellano de un segundo piso.

La señora Thorup la condujo hasta el salón, una habitación espaciosa con una bonita alfombra color ámbar, techos abovedados y apliques de alabastro en las paredes. En un extremo de la sala, cerca de la chimenea, había un magnífico piano de cola Steinway. En el centro de la estancia había un árbol de Navidad, que casi llegaba al techo y que inundaba la habitación con su aroma. El árbol estaba decorado de manera profesional con adornos y cinta cuyo aspecto era igual de lujoso que el de la propia casa.

En las paredes había varios bodegones pintados al óleo, pero lo que atrajo la atención de Macy era un gran retrato familiar con marco dorado. Imaginó que la fotografía se había hecho hacía muchos años; la mujer era una versión más joven de la que había acudido a abrir la puerta. Un hombre alto y sonriente y tres niños estaban detrás de ella. Los dos chicos adolescentes eran rubios y tenían los ojos azules, la niña tenía el cabello color caoba y no se parecía en nada al resto de la familia. Se parecía a Macy.

La señora Thorup se sentó en un sillón orejero y cruzó las piernas. Señaló el sofá que tenía enfrente.

—Toma asiento, por favor.

Macy apartó la mirada del retrato y se sentó en el sofá de terciopelo tornasolado frente a la mujer, con las manos juntas en el regazo. Sonaban villancicos como suave música de fondo. Macy se dio cuenta de que ya había visto a esa mujer con anterioridad…, hacía mucho, mucho tiempo, en la audiencia para la adopción.

—Mi esposo y yo nos preguntábamos si aparecerías algún día. Aunque estoy un poco sorprendida de que hayas podido encontrarnos.

—No ha sido fácil —respondió Macy sin darle importancia, con la esperanza de recibir alguna muestra de simpatía.

La mujer mantuvo una expresión sombría, por no decir adusta. Ella tragó saliva con nerviosismo.

—¿Dijo que Noel ya no vive aquí?

—Mi hija está en la universidad.

—Ah. ¿A qué facultad va?

La señora Thorup parecía incómoda. Al cabo de un momento dijo:

—La cuestión es que Christy no sabe que existes. En realidad, ni siquiera sabe que fue adoptada.

Macy la miró atónita.

—¿Qué? ¿Cómo puede no saberlo?

—Sólo tenía cuatro años… —repuso la señora Thorup.

—Pero estábamos muy unidas. Y la adopción en los juzgados… ¿Cómo podría haberse olvidado de eso?

La señora Thorup asintió con la cabeza.

—La mente hace todo lo necesario para sobrevivir.

Macy estaba exasperada.

—¿Nunca le hablaron de mí?

La mujer se movió un poco en su asiento.

—A Chuck y a mí nos pareció que las circunstancias de la vida anterior de Christy eran ya, como tú misma has dicho, bastante traumáticas. De manera que solicitamos que se cortaran todos los lazos y el juez ordenó que se sellara su expediente. Sobre todo después del desastroso encuentro con tu familia en los juzgados. Por tanto, el hecho de que hayas venido… —era evidente que estaba apenada—. Nosotros somos de la opinión de que es mejor que no sepa nada de ti.

—¿Y por qué iba a ser eso lo mejor?

A la señora Thorup pareció molestarle que Macy siguiera sin comprenderlo.

—¿Qué ganaría ella con saber que sus padres biológicos la abandonaron?

—Pues, para empezar, me ganaría a mí.

—¿Y eso es bueno?

Macy empezaba a sentir antipatía por esa mujer.

—Sí, lo es.

—Tienes que entender que, en la mente de mi hija, ella no tiene ninguna hermana. Tiene dos hermanos mayores y a nosotros. ¿Cómo crees que la afectaría verte?

Macy se había preguntado lo mismo.

—No lo sé.

—Así es, no lo sabemos. ¿Crees que es justo experimentar con su vida?

«¿Acaso hay algo justo en todo esto?», pensó Macy, pero no expresó la pregunta.

—¿Cómo es?

—Es maravillosa. Y muy inteligente. En el instituto se graduó con las segundas mejores notas. Le concedieron una beca completa para la A.S... —se contuvo—. Para la universidad. —Dirigió la mirada al magnífico piano—. Tendrías que oírla tocar el piano. Ha ganado varias competiciones.

—Me gustaría oírla —dijo Macy, aunque sabía que la señora Thorup no lo había dicho en sentido literal. Volvió a mirar a la mujer—. ¿Usted cree que ella no querría saber que tiene una hermana?

La señora Thorup volvió a cambiar de posición en su asiento.

—Tienes que pensar en su realidad. —De pronto sonrió. Macy no se fiaba—. Pareces buena chica. Tienes que preguntarte si esto es por ella o solamente por ti. Por lo que recuerdo sobre la situación de tu familia, estoy segura de que no lo habrás tenido fácil, y comprendo los motivos por los que quieres... volver a conectar con tu hermana. Pero si de verdad te importa Christy, deberías hacer lo correcto. Ella tiene una vida maravillosa y una familia que la quiere. Es feliz. Introducir algo así en su vida es..., bueno, es un problema, ¿no?

Macy no podía creer el giro final que había tomado su viaje.

—Lo siento, querida. Pero me preocupo por mi hija. Estoy segura de que tú también quieres hacer lo correcto.

Macy se sentía cada vez más enojada por la actitud condescendiente de aquella mujer, pero una parte de ella temía que pudiera tener razón. No había duda de que se hallaban en un punto muerto y, en cualquier caso, ella no podía hacer nada al respecto. Se levantó.

—Debe de tener cosas que hacer. Me marcho.

—Sí, tengo una cita. —La mujer se puso de pie con rapidez, obviamente aliviada de haber acabado con la reunión. Entonces Macy se fijó en un adorno que había en el árbol de Navidad. Se acercó a él y se agachó. Era de un rojo brillante y en la parte delantera había la palabra NOEL escrita con letras de purpurina dorada; era idéntico al que le había dado su padre. Se puso de pie.

—¿Tiene un papel y un bolígrafo?

La mujer la miró con aire pensativo.

—Te los traeré.

Salió de la habitación y volvió con un bloc de notas y un bolígrafo de plástico que tenía grabado el nombre del bufete de abogados de su esposo. Se los dio a Macy.

—Gracias. —Anotó su dirección y número de teléfono—. Éstas son mis señas. Por si cambia de opinión.

La mujer tomó la nota y Macy adivinó lo que estaba pensando: «En tal caso no importa».

—Puedes quedarte con el bolígrafo —dijo la señora Thorup. Acompañó a Macy hasta la puerta de la calle y se la abrió. Una ráfaga de aire frío irrumpió en el vestíbulo.

—Me ha gustado conocerte —afirmó la mujer sin mucho convencimiento, y entonces, con una actitud más comprensiva, añadió—: Buena suerte.

—Gracias. —Macy estaba a punto de marcharse sin decir nada más, pero, para su propia sorpresa, se detuvo, se dio media vuelta y miró a la mujer a los ojos—. ¿Sabe una cosa? Puede llamarla Christy o como quiera, pero cambiarle el nombre no cambia quién es, ni de dónde viene, ni tampoco «su realidad», como usted dice. Se trata de la vida de Noel, no de la suya. Para bien o para mal, hasta el último minuto le pertenece a ella. Usted es una señora muy guapa. Tiene una casa encantadora. Todo está limpio y perfecto. Probablemente nunca pegó a sus hijos. Estoy segura de que Noel tiene suerte de tenerla como madre. Sin embargo, eso no hace que sea su vida, y lo que Noel haga con ella no tendría que decidirlo usted.

La mujer tragó saliva con el papel agarrado en la mano. Macy salió al frío.

—Adiós.

—Adiós —respondió la señora Thorup.

Macy regresó a su coche mientras las lágrimas le caían a rienda suelta por las mejillas. La mujer cerró la puerta. Miró el papel que tenía en la mano, lo arrugó, entró en la cocina y lo tiró. A continuación llamó a su marido al bufete.

—Chuck, no vas a creerte quién acaba de venir a casa.

CAPÍTULO

Veinticuatro

*Mi decepción de esta noche
sólo resulta equiparable en intensidad
a la esperanza que guardaba la mañana.*

⊠ DIARIO DE MARK SMART ⊠

ACCIÓN DE GRACIAS

En casa, en Alabama, el día de Acción de Gracias era más bien un acontecimiento que una comida. Mi madre y mi tía Marge emprendían los preparativos con semanas de antelación. Primero planeaban el menú (un ritual que yo nunca acabé de entender porque siempre se decidían por los mismos platos), luego repasaban el periódico de arriba abajo buscando cupones y ofertas con la misma intensidad con la que nuestros antepasados podrían haber cazado un pavo o un venado para el banquete. Después compilaban sus listas e iban de compras, regresando de cada viaje con el coche lleno de bolsas de comestibles.

La comida de Acción de Gracias siempre era deliciosamente copiosa: el plato estrella, el pavo, podía haber adornado la portada de una revista femenina, con la piel tostada y traslúcida como papel de cera y los jugos corriendo por la carne. Había callos de cerdo cocidos bañados con salsa de tomate y salsa picante, huevos duros con salsa picante espolvoreados con pimentón dulce, relleno de menudillos, col verde con codillos de jamón aliñados con salsa de pepinillos en vinagre, hojas de nabo, ocra frita, calabaza guisada y relleno de pan de maíz, todo ello regado con jarras de té dulce frío.

Después venían los postres imprescindibles: pacanas y tartas de boniato, y si las mujeres se sentían especialmente ambiciosas, pudin de plátano generosamente rociado de leche condensada.

Antes de cada comida, Stu daba las gracias al Señor y rezaba por los menos afortunados entre los que, a la luz de semejante exceso culinario, prácticamente se incluía todo aquel que no comía con nosotros.

Las dos familias, mi madre y mi tía Marge y mis cuatro primos, siempre compartíamos la comida. Nos poníamos elegantes con la ropa de los domingos que, después de comer, se convertía en nuestro uniforme de jugar al fútbol. Mamá siempre usaba la vajilla de porcelana, y la cubertería de plata realizaba su salida anual de su estuche de madera forrado de fieltro. Los niños limpiábamos todas las piezas a mano antes de dejarlas sobre el mantel blanco bordado.

Todo esto contrastaba marcadamente con el día de Acción de Gracias que tenía planeado pasar este año, con una comida preparada de Hungry-Man que incluía pavo relleno y manzanas especiadas. Agradecía que Macy me hubiera invitado a compartir la velada con ella y con Joette. Aun así, sentí un poco de melancolía al pensar en esos días de Acción de Gracias en casa con mi madre, y echaba de menos un recuerdo al que nunca podría regresar.

Pasé la mañana viendo fútbol por televisión. Cerca de mediodía, me duché y me vestí con mi mejor ropa: una camisa de cuello con botones, un jersey y pantalones de estilo informal. Después me fui en coche a casa de Macy.

El día anterior no habíamos hablado mucho, y cuando lo hicimos, había compartido conmigo sorprendentemente poco sobre su visita a la madre de Noel, aparte de su decepción lógica. Yo no le insistí.

Le dije que sospechaba que la señora Thorup no estaba siendo totalmente sincera cuando dijo que Noel no vivía allí. ¿Qué universitario de familia acomodada no vuelve a casa para pasar el día de Acción de Gracias? Sugerí a Macy que regresara y se negara a marcharse hasta que viera a su hermana. Incluso me ofrecí a acompañarla. Sin embargo, ella se limitó a cambiar de tema.

Llegué a su casa pocos minutos después de la una. Su coche no estaba y el camino de entrada y el porche se hallaban cubiertos por casi ocho centímetros de nieve, incluido el lugar que había ocupado el automóvil de Macy. Estuviera donde estuviera, ya hacía rato que se había marchado. Llamé a la puerta y abrió Joette. Llevaba un delantal sobre sus pantalones Levi's y su camiseta y tuve la sensación de ir demasiado arreglado. Ella pareció alegrarse al verme. También parecía estar un poco cansada.

—Hola, Mark. Feliz día de Acción de Gracias. Adelante, pasa. —Se parecía a Bob Barker diciendo «¡A jugar!» a los concursantes de *El precio justo*.

—Feliz día de Acción de Gracias —respondí—. He pensado que antes de nada podría quitar la nieve de la entrada. ¿Tienes una pala?

—No tienes que hacerlo.

—Ya empieza a tener bastante grosor.

—Gracias. Es que ya no tengo tanta energía como antes. La pala está dentro de ese cobertizo pequeño que hay allí. Entra directamente cuando termines.

Tardé más de media hora en limpiar la entrada y el camino.

Esperaba que Macy hubiera regresado antes de terminar, pero no fue así. Golpeé los pies contra el escalón de cemento para quitarme la nieve de los zapatos y volví adentro. Joette me había puesto una alfombrilla en el suelo, pisé fuerte unas cuantas veces más hasta que decidí descalzarme.

La casa era un alegre ataque a los sentidos. Una animada música navideña llegaba de la cocina, acompañada por el agradable aroma de un pastel en el horno…, panecillos calientes, boniatos, pavo y unas cuantas cosas más que no pude identificar, pero que sabía que me gustaban. Inhalé todo aquello. Hacía mucho tiempo que no olía algo tan bueno.

Me quité el abrigo, lo dejé encima del sofá y me dirigí a la cocina. Joette estaba preparando un puré de patatas. Levantó la mirada cuando entré.

—Gracias por quitar la nieve.

—De nada. Aquí huele de maravilla. Como en casa.

—Es un bonito halago. A Macy y a mí nos gusta cocinar.

—¿Dónde está Macy?

—Todavía está en el refugio.

Lo dijo como si yo supiera, o debiera saber, de qué estaba hablando.

—¿El refugio?

—El refugio para personas sin hogar que hay en la Tercera Sur. Todos los años va a ayudar el día de Acción de Gracias.

—Eso es muy… noble —comenté. «¡Qué tontería de palabra!», pensé. Aún me sentía nervioso estando con Joette.

—Bueno, ya conoces a Macy. Siempre salvando el mundo. Pero también lo hace por ella. En una ocasión comió en ese refugio. Creo que el hecho de volver le da la oportunidad de no perder de vista lo lejos que ha llegado.

—Ella te atribuye el mérito de eso.

Joette sonrió al oírlo.

—Nos apoyamos mutuamente.

Me incliné sobre la encimera.

—¿En qué puedo ayudar?

—¿Puedes trinchar el pavo?

—Claro.

El ave estaba en la encimera, al lado del horno, cubierta con papel de aluminio. Eché un vistazo alrededor buscando un cuchillo. Joette me lo señaló con un movimiento de la cabeza.

—Usa el cuchillo de trinchar. Puedes poner la carne en esa fuente.

—Entendido.

Joette retomó la tarea de preparar el puré de patatas. Al terminar, sacó el batidor del cuenco, pasó el dedo por el borde del recipiente y se lo lamió como si se estuviera comiendo el glaseado de una copa. Dejó el batidor en el fregadero.

—¿Sabes que el día de Acción de Gracias es el aniversario de Macy y el mío?

—¿Aniversario?

—El aniversario de nuestro primer día de convivencia. Es nuestra pequeña broma: vino a comer por Acción de Gracias y ya no se fue. —Se llevó el cuenco con el puré a otra encimera. Volvió con una bandeja de panecillos para hornear y empezó a pintarlos con mantequilla—. Estoy segura de que te ha explicado su encuentro con la madre de Noel.

—Un poco. Es una pena. ¿Crees que seguirá buscando a su hermana?

—Creo que lo hará algún día, cuando esté absolutamente segura de que es lo adecuado para Noel. —Cogió un abrelatas de un cajón y abrió una lata de salsa de arándanos. Echó la gelatina roja en un plato y tiró la lata, luego volvió a lamerse los dedos—. Creo que sólo con haber encontrado a su padre ya tiene mucho que procesar.

—Me parece que tienes razón. —Hundí el cuchillo en un lado del pavo dejando al descubierto un costado blanco. Pinché la carne con un tenedor y la coloqué en la fuente de peltre.

—Y dime, ¿cómo está tu padre? —me preguntó.

La pregunta me incomodó un poco.

—No lo sé —corté otra loncha de pavo—. La verdad es que no hablamos.

—Macy me dijo que no te llevas muy bien con él.

—No nos llevamos bien en absoluto.

—¿Te importa si te pregunto por qué?

No estaba seguro de querer mantener esa conversación.

—La historia viene de lejos.

—Es una historia del pasado, ¿verdad?

Entonces supe con seguridad que no quería mantener aquella conversación. Joette se apoyó en la encimera.

—Yo también tengo una historia de un padre —dijo—. Mi madre murió cuando yo tenía catorce años. Mi padre no volvió a casarse, de modo que me hacía tanto de papá como de mamá. Una parte de mí siempre se sintió mal por no tener madre. Creo que, de un modo extraño, yo lo culpaba de su muerte…, como si él pudiera haberlo evitado de alguna manera. Ahora suena estúpido, pero los adolescentes no piensan en mucho más aparte de en sí mismos. O por lo menos yo no lo hacía.

»Y entonces un día tuve una revelación. Me di cuenta de que ser padre era como ser el mago de Oz.

Recordé lo que Macy me había comentado con anterioridad sobre la filosofía de vida de Joette y tuve que disimular que me hizo gracia.

—¿A qué te refieres?

—¿Sabes la parte en la que Dorothy y sus amigos van a ver al mago? Esa cabeza grande e inquietante les habla y quedan todos aterrorizados. Entonces el perro…

—Toto —interrumpí.

—Eso es. Toto retira la cortina y detrás hay un hombrecillo accionando palancas e interruptores. Y dice por el micrófono: «No hagáis caso del hombre tras la cortina». Creo que ser padre es como ser el hombre tras la cortina. Fingimos saber que sabemos lo que hacemos, que somos omnipotentes y lo sabemos todo, cuando lo cierto es que estamos detrás de la cortina dándole a interruptores y palancas, haciéndolo lo mejor que podemos.

Su explicación me pareció interesante, a pesar de todo.

—Y luego nuestros hijos descubren que no somos tan magníficos como ellos pensaban, ¿no?

—Exactamente. Y entonces se enfadan y se sienten decepcionados porque no podemos estar a la altura de sus expectativas… por poco realistas que éstas sean.

—Entonces, ¿tu padre y tú os llevasteis mejor cuando te diste cuenta de eso?

Joette frunció el ceño.

—Bueno, lo cierto es que para entonces ya era demasiado tarde. Murió once años después que mi madre. En realidad, nunca le di las gracias por todo lo que hizo por mí. —De pronto sonrió—. Se esforzó mucho. Deberías haber visto el vestido que me compró para el baile de graduación del instituto. No quería que ningún chico se hiciera una idea equivocada sobre mí, de modo que él mismo me eligió un vestido. El cuello me llegaba prácticamente a las orejas. Me lo puse en casa y luego, cuando mi acompañante me pasó a recoger, fuimos a casa de mi amiga, que me prestó uno de sus vestidos. No caí en la cuenta de lo que había hecho hasta que me encontré enseñándole las fotos del baile. No sé si no se percató, o si simplemente no quiso armar un alboroto. Pero él se sacrificó para comprarme ese vestido. No he dejado de lamentar lo que hice.

Sonó un timbre.

—Las tartas —dijo. Se puso unas manoplas de cocina y sacó dos tartas del horno, una de calabaza y una de manzana con tapa de masa enrejada salpicada con azúcar de canela.

—Me encanta la tarta —anuncié.

—Bien. Porque hay mucha. —Sacó otra fuente de horno con unas pequeñas tiras de masa cocida salpicada con azúcar—. Aquí hay algo para picar. —Joette se lavó las manos—. Voy a limpiar un poco. Tú ponte cómodo, estás en tu casa. Ya sabes dónde está el televisor.

—Gracias.

Tomé unas cuantas pastas, fui al salón y puse un partido de fútbol. Macy regresó en cuestión de una hora. Me puse de pie cuando entró y nos besamos.

—Feliz día de Acción de Gracias —me dijo.

—Ahora sí lo es —respondí. La ayudé a sacarse el abrigo.

—¿Dónde está Jo?

—Fue a cambiarse.

—Ya estoy aquí —dijo Joette entrando en la habitación.

—Lamento llegar tan tarde. Este año iban cortísimos de personal. Hemos tardado todo este rato en servir a todo el mundo.

—No pasa nada —repuso Joette—. ¿Y qué tal fue?

—Fue bien. Siempre va bien —contestó Macy—. Bueno, ¿qué queda por hacer?

—Sólo poner la mesa.

—Ya lo hacemos nosotros —dijo Macy—. Vamos, Mark.

La mesa era pequeña y una extensión que tenía en medio la cambiaba de un círculo a un óvalo. Sólo tardamos unos minutos en ponerla. Lo sacamos todo menos las tartas y nos sentamos a comer.

—Yo diré la oración —dijo Joette.

Inclinamos la cabeza. Macy alargó los brazos, tomó la mano de Joette y luego la mía. La mujer me tomó de la otra mano y completamos el círculo.

—Señor. Te damos las gracias por las muchas bendiciones que tenemos. Por nuestra casa, la comida y la ropa. —Hizo una pausa y titubeó por la emoción—. Sobre todo por poder estar juntos. Demos las gracias no sólo hoy, sino siempre. Amén.

—Amén.

Me dispuse a coger un panecillo.

—Espera —me ordenó Macy.

Detuve mis dedos a un par de centímetros del cesto del pan. La miré.

—Antes de comer cada uno tiene que decir algo por lo que esté agradecido. Mark, tú eres el invitado. Empiezas tú.

Las dos me miraron expectantes.

—De acuerdo —dije, y retiré la mano—. Bueno, pues, para empezar, agradezco que me invitarais hoy para compartir la velada con vosotras. Y doy gracias de que Macy entrara en mi vida cuando lo hizo.

Ella sonrió ampliamente.

—Gracias. Y de nada —se volvió a mirar a Joette—. Ahora te toca a ti.

—Yo estoy agradecida por muchas, muchas cosas. Estoy agradecida por el hecho de que Mark esté aquí con nosotras. Y por encima de todo, estoy agradecida por aquel día de Acción de Gracias de hace cinco años cuando Macy vino a comer y ya no se marchó. —Alargó el brazo y le dio un apretón en la mano a Macy, quien entonces se reclinó en su silla.

—Muy bien. Yo doy gracias por haberos tenido a los dos ayudándome durante las últimas tres semanas. Ha sido un sendero bastante emocional. Y aunque las cosas no salieron tal y como yo esperaba, aprendí una cosa muy importante. —De pronto la emoción la embargó e hizo una pausa—. Que en realidad lo único que buscaba era un hogar. Y gracias a Jo ya tengo un hogar. Y tengo un nuevo amigo. Y un techo encima de mi cabeza…, lo cual siempre está bien. Lo cierto es que tengo muchas cosas por las que estar agradecida.

—Amén —dijo Joette.

—Amén —repetí yo.

Macy se volvió a mirar a Joette.

—¿Recuerdas que la semana pasada me preguntaste qué quería para Navidad?

Joette asintió con la cabeza.

—¿Ya se te ha ocurrido algo?

—Al final me he decidido.

—Esto parece serio. ¿Tendría que ir a buscar un bloc de notas?

Macy se echó a reír.

—No. Sólo quiero una cosa. —La miró y de pronto se puso nerviosa—. No puedo creer que ahora tenga miedo de pedírtelo.

—No te preocupes —repuso Joette—. Yo no tengo miedo de decir que no.

—Eso es precisamente lo que me asusta. —Macy tomó aire y lo soltó—: Quiero que me adoptes legalmente. Quiero ser tu hija.

Joette se quedó un momento sin decir nada. Luego se echó a llorar. Se levantó de la silla, Macy se levantó también y se abrazaron las dos. Pasaron unos minutos antes de que Joette pudiera volver a hablar.

—Sería el honor más grande de toda mi vida.

—Gracias —le dijo Macy—. Gracias, gracias.

Al cabo de unos cuantos minutos más de sus risas y llantos, pregunté:

—¿Puedo comer ya?

Se volvieron ambas hacia mí y se echaron a reír.

—¡Hombres! —comentó Macy—. Siempre tienen que poner el estómago por delante del corazón.

La comida fue, hasta el último bocado, tan maravillosa como su aspecto y aroma sugerían. Quizá no fuera un ágape al estilo del sur, pero estaba todo riquísimo. Cuando terminamos con el postre, Macy nos trajo unas tazas humeantes de chocolate caliente con menta. Joette fue la primera en levantarse de la mesa. Se llevó un montoncito de platos al fregadero. Cuando abrió el grifo, Macy se levantó de su asiento de un salto.

—Ya fregaremos los platos nosotros. Tú ya has trabajado bastante por hoy. Ve a descansar.

Joette pareció agradecer la oferta.

—¿Estáis seguros?

—Lo haremos nosotros —dije, y me levanté también.

—De acuerdo. —La mujer desapareció por el pasillo.

Cuando la puerta de su dormitorio se cerró, observé:

—Parece cansada.

—Ya lo sé. Últimamente no se encuentra muy bien. No dejo de decirle que vaya al médico, pero ella se empeña en que no pasa nada.

⊠

Macy y yo fregamos los platos y luego, tal como ella sugirió, nos pusimos los abrigos y salimos a dar un paseo. No había dejado de nevar y la calle se hallaba blanca y silenciosa. La paz de la nieve recién caída tenía algo mágicamente tranquilizante. Tomé a Macy de la mano mientras caminábamos y ella me la agarró con fuerza. Quería hablarle de nosotros, de nuestro futuro, pero de pronto me sentí temeroso de hacerlo. En cambio, dije:

—Estoy tan lleno que apenas puedo andar. Todo estaba magnífico.

—Salió bien. Ha sido un día agradable, ¿verdad?

—De principio a fin. Sobre todo cuando le pediste a Joette que te adoptara. La hiciste muy feliz.

—La verdad es que me daba miedo pedírselo. No sabía lo que diría.

Yo sabía exactamente cómo se sentía.

—Fue perfecto —afirmé.

Ella suspiró con satisfacción.

—Sí que lo fue, ¿verdad? He estado pensando en esto mucho tiempo. Supongo que el factor decisivo fue cuando uno de mis compañeros de trabajo me contó que cuando sus padres murieron en un accidente aéreo sus abuelos se convirtieron en sus tutores legales. Caí en la cuenta de que si algún día tenía hijos y me pasaba algo, podría ser que la custodia se la dieran a Irene Hummel. De ninguna manera permitiría que eso ocurriera. —Se volvió a mirarme—. ¿Te das cuenta? Eso significa que habré tenido tres apellidos distintos. —Alzó los ojos al cielo—. Tengo veintiún años y ya he tenido tres apellidos distintos.

—¿Sabes una cosa? Yo he estado pensando en eso precisamente.

—¿En serio?

—Bueno, me preguntaba qué te parecería si hubiera un cuarto.

Me miró con desconcierto.

—¿Un cuarto qué?

—Un cuarto apellido.

Ella siguió mirándome como si estuviera hablándole en chino.

—¿A qué te refieres?

—Me refiero… a casarte.

Macy se rió, nerviosa.

—Bueno, estoy segura de que cuando llegue ese día me parecerá bien.

—Quiero decir ahora.

Dejó de andar y me miró con una expresión que no pude interpretar.

—¿Hablas en serio?

—Sí.

—¿Me estás pidiendo que me case contigo?

—Sí.

Se quedó mirándome fijamente un momento, luego se volvió y empezó a caminar de vuelta a casa.

—Macy.

Ella apresuró la marcha. Cuando la alcancé, vi que estaba llorando. Me puse delante de ella, impidiéndole el paso. Se había tapado los ojos con una mano y no quería mirarme. La mano le temblaba.

—Sólo te he pedido que te cases conmigo.

—Ya lo sé.

Le tomé la mano y se la aparté de la cara. Ella me miró con el rostro cubierto de lágrimas.

—¿Por qué haces esto?

Su pregunta me desconcertó tanto como el resto de su reacción.

—Porque te quiero.

—¿Cómo puedes decir eso? En realidad, no me conoces.

—Pues claro que te conozco. Hemos pasado muchas cosas juntos.

Ella lo negó con la cabeza.

—Ya sé que tan sólo hace tres semanas que nos conocemos,

pero estoy absolutamente seguro de que quiero pasar el resto de mi vida contigo. A veces estas cosas se saben sin más.

—Hay cosas en mi pasado. Cosas oscuras que tú no sabes.

—Tu pasado no me importa. Es en tu futuro, en nuestro futuro, en lo que estoy pensando.

—No hay ninguna diferencia. El pasado es nuestro futuro.

—Eso no es cierto. Podemos trascender nuestro pasado.

—¿Acaso tú lo has hecho?

Su pregunta me detuvo en seco.

—Mark, ¿y si sólo intentas llenar el vacío que tu madre dejó en tu vida al morir?

—No es eso —contesté.

—¿En serio? No hablas de ella, ni del resto de tu familia. No has ido a casa. Y la ira que sientes hacia tu padre… —Me miró y se enjugó las lágrimas—. Yo no huyo de mi pasado, Mark, y no puedo compartir mi futuro con alguien que huye del suyo. —Bajó la mirada y se apartó de mí—. Tengo que irme.

Regresó corriendo a casa. Yo me quedé allí de pie, atónito y confuso, mientras la veía desaparecer llevándose consigo mi corazón.

CAPÍTULO

Veinticinco

Ha llegado la hora de enfrentarme a la verdad.
La hora de empezar a quemar las naves.

⊠ **DIARIO DE MARK SMART** ⊠

Me sentía como si un camión de cemento me hubiera atropellado el corazón. Me fui a casa y cogí la guitarra, pero ni siquiera la música me proporcionó alivio. Aquella noche llamé cuatro veces a casa de Macy. Las tres primeras nadie contestó al teléfono. Al cuarto intento, Joette cogió la llamada. Su voz sonó solemne:

—Hola, Mark, soy Jo.

—¿Está Macy?

—Ya se ha acostado.

—¿Está durmiendo?

Ella vaciló.

—Me temo que no quiere hablar contigo.

Respiré hondo.

—¿Te refieres a ahora mismo o para el resto de su vida?

—Lamento mucho todo esto, Mark. Tendrías que darle un día o dos. Está muy disgustada.

Solté aire.

—¿Fui un completo estúpido al pensar que podría considerar la posibilidad de casarse conmigo?

Su voz adquirió un tono menos grave.

—Yo no lo creo. Y no pienso que ella lo crea así tampoco.

—Me confundí —dije, y suspiré de nuevo—. Dos días.

—Dos días. Es probable que para entonces ya esté preparada para hablar.

Aunque me resultó difícil, durante los dos días siguientes no llamé a casa de Macy. El domingo llamé tres veces, todas ellas sin éxito. Lo volví a probar el lunes por la mañana, pero tampoco respondió nadie. Con cada llamada me iba disgustando más y la ira empezó a suavizar mi congoja. Después la ira se convirtió en incertidumbre. ¿Cómo podía deshacerse de mí tan fácilmente? Quizá Macy estuviera en lo cierto. «Tal vez no la conocía en realidad.»

Aquella semana llamé todos los días, pero nadie me respondió. Luego dejé de llamar con la esperanza de que fuera ella quien lo hiciera. Supongo que, como todos los descreídos, estaba esperando algún tipo de señal, pero no llegaba ninguna. Nueve días después de Acción de Gracias acepté que, por razones que no comprendía, Macy había terminado conmigo. También llegué a la conclusión de que no tenía ningún motivo para quedarme en Salt Lake City. Al paso que llevaban mis ahorros, tardaría años en poder volver a la universidad. Había llegado el momento de afrontar la realidad. Fue un error haber ido a Utah. Era hora de irse a casa.

Lo primero que hice fue dejar el trabajo. No me resultó difícil. Creo que mis compañeros me envidiaban, sobre todo Victor, quien me preguntó si le vendería mi Malibú. Acordamos un precio y quedamos en que tomaría posesión del coche el día de mi marcha. Después dejé mi apartamento. Estoy casi seguro de que mi casero se alegró cuando le dije que me marchaba. Lo cierto es que me sorprendió que no descorchara una botella de champán. No tardó más de media hora en colgar el letrero anunciando el piso libre. Cogí el poco dinero que había ahorrado y compré un billete de avión de ida a Huntsville.

El miércoles era mi último día en el trabajo. Serían las once más o menos cuando me despedí de todos mis compañeros y, aunque me había prometido que no iría detrás de ella, me encontré conduciendo hacia The Hut. Macy estaba trabajando en el mostrador delantero y alzó la mirada cuando entré. Con sólo verla me sentí embargado de toda una mezcla de emociones: alivio, furia, tristeza, miedo. A juzgar por su expresión, imaginé que ella sentía algo parecido.

—Hola —dije.

—Hola.

—¿Cómo estás?

Ella se limitó a hacer una especie de movimiento brusco con la cabeza.

—He estado intentando hablar contigo.

—Lo siento.

Me la quedé mirando.

—¿Eso es todo?

Macy asintió.

Mi congoja aumentó aún más. Respiré hondo.

—Sólo he venido a darte las gracias por todo lo que has hecho por mí. Te lo debo.

—No me debes nada.

Otra empleada nos interrumpió.

—Mary, te llaman por teléfono.

—Coge el mensaje, por favor.

—Es Jeff.

—Dile que ya lo llamaré.

Macy se volvió de nuevo hacia mí.

—Y a pesar de cómo han ido las cosas —continué diciendo—, me alegro mucho de haberte conocido. Lamento haberlo estropeado todo. —Volví a respirar hondo—. Sólo quería decirte adiós antes de marcharme.

Macy se estremeció.

—¿Adónde vas?

—A casa.

—¿Por cuánto tiempo?

Me encogí de hombros.

—Compré un billete sólo de ida.

Ella me miró con incredulidad.

—¿Cuándo te marchas?

—El sábado. Este sábado.

Macy se quedó sin habla. Fue casi como pulsar el botón de reinicio del ordenador y quedarse mirando cómo volvía a arrancar. Al final, dije:

—Será mejor que te deje trabajar. Dale recuerdos a Jo.

—Lo haré.

Se me hizo un nudo en la garganta.

—Bueno, cuídate.

—Tú también.

Salí de la cafetería. Se me humedecieron los ojos mientras me dirigía al coche. No podía creer que, después de lo que habíamos pasado, todo terminara así.

CAPÍTULO

Veintiséis

Esta mañana me ha llamado Joette para que nos veamos,
me imagino que para hablar de Macy.
Había algo en su voz que me hace pensar
que no todo va bien en Oz.

⊠ DIARIO DE MARK SMART ⊠

A la mañana siguiente estaba dando mi última clase de guitarra cuando el casero llamó a la puerta.

—Te llaman por teléfono —anunció con una actitud menos molesta de lo habitual. Creo que el hecho de saber que me marcharía pronto lo hacía más agradable.

—¿Quién es?

—Una mujer. Dice que es importante.

—Gracias.

Dejé a mi alumno practicando un acorde y subí al apartamento de mi casero. Cogí el teléfono.

—Hola.

—Mark, soy Joette.

—Hola, ¿qué ocurre?

—Me preguntaba si podríamos vernos y hablar.

—Claro, pero tendrá que ser pronto. Me marcho el sábado.

—Ya lo sé. Macy me lo dijo. ¿Podríamos vernos mañana durante mi hora de la comida? Te invito a comer.

—Es en Denny's, ¿no?

—En State con la Veintiuno.

—¿A qué hora?

—Mi descanso para comer no es hasta las dos.

—Allí estaré. ¿Cómo está Macy?

Hizo una pausa.

—Ya hablaremos de eso.

CAPÍTULO

Veintisiete

¡Qué estupidez creer que tenemos la más remota idea
de lo que en realidad sucede a nuestro alrededor
o que la permanencia es una opción terrenal!

⊠ DIARIO DE MARK SMART ⊠

Cuando llegué, Joette me estaba esperando en una mesa de la esquina. Llevaba puesto su uniforme de camarera y estaba bebiendo cola de una pajita. Me hizo señas para que me acercara y tomé asiento frente a ella.

—Gracias por venir. Me alegro de verte.

—Yo también.

—¿Cómo estás?

—He estado mejor.

—Lo sé —me tendió un menú—. ¿Tienes hambre?

—Nací hambriento.

—Pues pidamos primero —me dijo con una sonrisa.

Abrí el menú y le eché un vistazo. Cuando lo dejé sobre la mesa, Jo me preguntó:

—¿Ya sabes qué quieres?

—Tomaré un sándwich Reuben.

—Buena elección —afirmó de un modo muy propio de la camarera que era—. ¿Con patatas fritas o con ensalada?

—Con patatas fritas.

—¿Y qué quieres beber?

—Tomaré una Coca-Cola.

—Muy bien. —Se dirigió a la cocina. Paseé la mirada por el

restaurante; aquél era el mundo de Joette. Ella regresó al cabo de unos minutos con mi bebida. La dejó delante de mí y se deslizó en su asiento. Su expresión se tornó seria.

—Tengo que preguntarte una cosa muy importante.

—De acuerdo.

—¿Cómo te sientes por lo de Macy?

Dadas las circunstancias, me pareció una pregunta extraña.

—Sabes que le pedí que se casara conmigo.

—Lo sé —repuso—, pero ¿cómo te sientes ahora?

—Dolido. Enojado —respiré hondo—. Y todas las mañanas me despierto con pena. No hago más que pensar en ella.

—Si pudieras recuperarla, ¿la aceptarías?

—Por supuesto. Pero lo cierto es que la decisión no es mía.

—Macy también está sufriendo. Te echa de menos. Quizás incluso más de lo que ella cree. Pero está asustada, y tiene todo el derecho a estarlo. Si hubieras pasado por todo lo que ella ha tenido que pasar, tú también tendrías miedo.

Hice girar lentamente el vaso en mis manos.

—Sí. ¿Y qué hago?

—No la dejes plantada, por favor. Va a necesitarte.

Joette lo dijo de una manera que me preocupó.

—¿Qué quieres decir…?

Cogió la servilleta y se enjugó los ojos.

—Perdona —exhaló profundamente—. ¿Tú crees que la gente entra en nuestras vidas por algún motivo?

—No lo sé. Mi madre siempre lo había dicho. Tal vez tuviera razón. Mira cómo entró Macy en la mía. Ella me salvó la vida.

—Ya sé a qué te refieres. Cuando conocí a Macy, pensé que

estaba allí para salvarla. Cinco años más tarde me di cuenta de que fue ella la que vino a salvarme a mí.

—¿Qué quieres decir?

Me miró con aire pensativo.

—Macy entró en mi vida unas doce semanas después de que perdiera a mi pequeña. Angela sólo tenía cuatro años. Entonces mi esposo estaba fuera de la ciudad, como de costumbre. Era representante comercial de una empresa suministradora de oxígeno médico y siempre estaba viajando. Yo me había acostumbrado a hacer las cosas sola con Angela. Ella había visto en la televisión a alguien asando salchichas y también quiso hacerlo, de manera que la llevé a las montañas para hacer una pequeña fogata y asar algo. Intentaba encender el fuego y Angela estaba sentada sobre una manta a menos de tres metros de mí. Nunca he sido muy dada a las actividades al aire libre y me costó hacer que prendiera la leña, pero al final lo conseguí. Cuando me di la vuelta, Angela no estaba. Corrí de un lado a otro llamándola a gritos, pero no pude encontrarla en ninguna parte. Era primavera y el arroyo estaba casi desbordado. Me daba miedo que pudiera haberse acercado al agua y haberse caído. —Joette volvió a llevarse la servilleta a los ojos—. Al día siguiente los guardas forestales del parque la encontraron a un kilómetro y medio río abajo.

—Lo siento muchísimo.

Ella respiró profundamente.

—No puedo describirte la pesadilla que fueron aquellos días. Tuve que llamar a mi esposo y decirle que la pequeña se había perdido y a la mañana siguiente tuve que volverlo a llamar y decirle que estaba muerta. Él me culpó de todo. La única persona cuyo apoyo necesitaba más que nada se volvió en mi contra. Sufrí una crisis nerviosa y pasé cinco semanas en la sala de psiquiatría del hospital universitario. Cuando me dieron de alta, mi psicólogo me dijo que volviera al trabajo... para continuar con mi vida. Lo hice. Iba muy sedada. Me sentía como el Hombre de Hojalata, vacío y sin corazón, simplemente ejecutando los movimientos. Trabajaba doce horas al día, luego volvía a casa y lloraba hasta quedarme dormida. A la mañana siguiente me levantaba y hacía lo mismo.

»Iba a ver a mi psicólogo todas las semanas, pero en el fondo sabía que no iba a conseguirlo. Era como si oyera un tren en la distancia que se acercaba para llevárseme. Cada día estaba un poco más cerca. Mi parada ya estaba muy próxima cuando un día aparece en el trabajo esa chica tan dulce para limpiar las mesas. Era muy joven; por su aspecto pensé que era una niña, pero actuaba como una persona mucho mayor. Y era muy trabajadora. No conocía su historia, pero las demás camareras hacían muchos comentarios sobre ella. Me fijé en que sólo tenía unos cuantos conjuntos de ropa. Estoy segura de que intuyó que me pasaba algo, pero nunca me dijo nada. Sólo me sonreía y siempre tenía una palabra alegre. Se aseguraba de limpiar las mesas con agua después de retirarlo todo. Era el sueño de cualquier camarera.

»Una noche, la víspera del día de Acción de Gracias, cuando estaba a punto de terminar mi turno, llegó un tipo con una niña pequeña. Era igual que la mía. Intenté no mirarla. Mientras estaban pidiendo, la llamó Angela. Anoté lo que querían, regresé a la cocina y me vine abajo. Me quedé allí sentada en el suelo, llorando. Nadie sabía qué hacer. Salvo Macy. Ella se sentó en el suelo conmigo, me rodeó con sus brazos, y aunque no sabía por qué estaba llorando, me abrazó. Sirvió a ese hombre y a su hija y se ocupó de mis mesas hasta que fui capaz de calmarme.

»Cuando terminé mi turno, nos sentamos en mi coche y hablamos.

»Me resultaba increíble la perspicacia de esa jovencita. O tal vez sólo fuera que estaba dispuesta a escuchar. Cuando terminamos de hablar, probablemente fueran las tres de la madrugada. Yo sabía que ella solía regresar andando a casa, de modo que le pregunté si podía llevarla. Aunque estábamos en mi coche, ella se negó. No quería decirme dónde vivía. Me costó un poco, pero al final conseguí que admitiera que estaba viviendo en el refugio para personas sin hogar que había a un kilómetro y medio calle abajo. La invité a venir a casa conmigo.

El amor que Joette sentía por Macy resultaba evidente en sus ojos.

—De eso hace cinco años. Supongo que estábamos tan atareadas viviendo juntas que el tren me pasó de largo. —Me sonrió—. Así pues, tú y yo tenemos una cosa en común. Pensé que estaba salvando a Macy cuando lo cierto es que era lo contrario. Tú pensaste que habían enviado a Macy para salvarte. Yo creo que es al revés.

—No lo entiendo.

—No creo que sea una coincidencia que aparecieras cuando lo hiciste. —Me miró a los ojos—. Me estoy muriendo, Mark.

—¿Qué?

—Macy te contó que tenía cáncer.

Asentí con la cabeza.

—Dijo que lo tenías en el ojo.

—Melanoma ocular. Y también te dijo que estaba en remisión.

—Así es.

—Lo estaba. Pero ha vuelto. Y está en fase cuatro.

—¿Y eso qué significa?

—En mi caso, significa que el cáncer ha metastatizado al hígado.

La miré con incredulidad.

—¿Es muy grave?

—Todo lo grave que podría ser. No tengo posibilidades, ni cirugía, ni quimioterapia… Me mandaron a casa y me dijeron que pusiera mis asuntos en orden.

Me quedé atónito.

—¿Cuánto tiempo te queda?

—Unos cuantos meses. Tal vez menos.

Por un momento me quedé sin habla. Se me secó la boca.

—Pero Macy cree que estás bien.

—Ella sólo cree que estoy enferma y que debería ir al médico. No sabe que ya he visto a demasiados.

—¿Por qué no se lo has dicho?

—Porque estaba esperando.

—¿A qué?

—Te estaba esperando a ti.

La miré con desconcierto.

—¿Te estaba esperando a mí?

—Rezaba a Dios para que enviara a alguien que ocupara mi lugar. Creo que te envió a ti.

Me quedé un momento sin hablar. Se acercó otra camarera con nuestra comida.

—Aquí tienes tu ensalada Cobb, Jo. Y para este amigo tuyo tan mono, un sándwich Reuben. ¿Os traigo alguna otra cosa?

—No. Gracias, Emily.

—Que aproveche.

Joette se volvió nuevamente hacia mí. Yo ni siquiera miré la comida.

—Por lo visto ellos tampoco lo saben.

Negó con la cabeza.

—Todavía no. —Se reclinó en el asiento—. ¿Sabes, Mark? Cuanto más tiempo vivo, más me doy cuenta de que nuestras vidas siguen una pauta. El universo es como un billón de millones de hilos que se mueven en direcciones que aparentemente no guardan ninguna relación. Sin embargo, cuando los miras todos juntos forman un tapiz sorprendente. Tú crees que ella te salvó. Lo hizo. Pero eso ocurrió para que tú pudieras salvarla a ella.

Miré mi vaso sin saber qué decir. Al final le pregunté:

—¿Cuándo vas a decírselo?

—No lo sé. Pero no puedo esperar mucho más. Ya resulta obvio que no estoy bien. Dentro de una semana o dos tendré que dejar el trabajo. Por eso quería cerciorarme de que siguieras por aquí.

—No me coge las llamadas…

—Ella te quiere, Mark. Lucha contra ello, pero es así. Va a hacer falta mucha fe por tu parte para llegar a ella…, mucha fe por parte de los dos. Las mayores penas de Macy se las han causado aquellos más próximos a ella. Quiere acercarse a ti. Pero piensa en el riesgo que eso le supone. En su interior, todo le dice que eche a correr. Es el instinto de supervivencia. Y es un instinto muy poderoso.

—¿Y cómo se puede atravesar esa barrera?

Ella me miró un momento y vi la respuesta en sus ojos.

—Con amor. Amor incondicional y constante.

Respiré hondo. Pasaron unos momentos hasta que volví a hablar.

—Este sábado vuelo a Alabama.

—¿Vas a volver?

Moví la cabeza en señal de negación.

—No tenía pensado hacerlo. Prácticamente he cerrado mi vida aquí.

Su semblante dejó traslucir su decepción.

—Espero que lo reconsideres. Macy lo vale.

—Lo pensaré. Te lo prometo.

—Muy bien —dijo—. El viernes voy a adoptar a Macy. Significaría mucho para las dos si pudieras estar presente.

—Iré.

—Gracias. Y ahora come, antes de que se te enfríe el sándwich.

No hablamos mucho mientras comíamos. Había perdido el apetito y comí más por obligación que por hambre. Jo anotó en una servilleta el lugar y la hora de la adopción. Cuando terminé de comer, salimos al aparcamiento. Ella me acompañó hasta el coche.

—Gracias por hablar conmigo. Y decidas lo que decidas, te agradezco todo lo que has hecho por nosotras.

Abrí la puerta del coche.

—Yo la amo, Joette.

—Lo sé. Y yo te quiero por ello.

Nos abrazamos. Al separarnos, dije:

—Lamento que estés enferma.

Se le llenaron los ojos de lágrimas.

—Yo también.

De camino a casa puse la radio en una emisora de la FM en la que sólo ponían música navideña. Un saxofón tocaba *Noche de paz*. Mientras escuchaba empecé a llorar por una buena mujer a la que acababa de conocer y que estaba a punto de perder.

CAPÍTULO

Veintiocho

El abogado que se ocupaba de la adopción de Macy
le preguntó si quería que se mandara una copia
de los documentos de adopción definitiva a Irene Hummel.
Ella no le vio ningún sentido. La venganza solamente
es para aquellos que siguen encadenados.

⌧ DIARIO DE MARK SMART ⌧

El viernes por la mañana me levanté con dolor de cabeza. Creo que mi cuerpo estaba reaccionando al estrés de ver a Macy y de que se supiera la verdad. No quería volver a pasar por ello. No importaba. Ya me había comprometido con Joette, y a menos que entrara en coma, nada me impediría estar allí.

Aunque Macy era una persona adulta, igualmente tuvieron que contratar a un abogado y pasar por todo el proceso habitual de adopción. Lo único que no hacía falta era el formulario con el permiso de los Hummel y el estudio de la casa, algo en lo que Macy, por propia experiencia, no confiaba mucho de todos modos. Joette conocía a varios abogados que se contaban entre los clientes habituales de Denny's y uno de ellos se ofreció a encargarse del trabajo jurídico sin cobrarle nada.

La adopción estaba fijada para el mediodía en el Tribunal del Condado de Salt Lake, los juzgados en los que Macy había sido adoptada por los Hummel hacía trece años. Cuando llegué, ella, Joette y su abogado ya estaban allí leyendo el papeleo.

Un agente de policía estaba de pie cerca del estrado y en la sala había aproximadamente una docena de personas que parecían ser amigos de Joette y Macy. Entré y tomé asiento al fondo de la estancia. Joette me vio y me saludó con la mano. Macy se dio la vuelta, me miró y también me saludó aunque había tristeza en sus ojos. «Buena suerte», le dije articulando con los labios, y ella me respondió «Gracias» de la misma manera.

El juez llegó al cabo de unos minutos y todo el mundo se puso de pie. A Macy y Joette les pidieron que se acercaran al estrado y se sentaran en el lado en el que normalmente se sienta la defensa. Entonces, a una señal del juez, Macy y Joette entraron por una puerta de vaivén y se sentaron frente a la mesa del magistrado. Era un hombre entrado en años, calvo y con una sonrisa casi tan ancha como su rostro.

—Bueno, jóvenes, creía haberlo visto todo en esta sala, pero nunca había tenido el placer de presidir un proceso como éste. A tenor de las circunstancias, creo que sería apropiado que las dos dieran testimonio de por qué, en esta etapa tardía de la vida, quieren que tenga lugar esta adopción.

Ninguna de las dos se esperaba tener que hablar, pero Joette alzó la mano rápidamente.

—Me gustaría ser la primera en hablar, señoría.

—Por supuesto.

Se puso de pie y de repente se le llenaron los ojos de lágrimas. Macy le acarició la espalda. Joette se llevó la mano al pecho y respiró hondo.

—Cuando perdí a mi única hija, estaba segura de que nunca nadie podría ocupar su lugar ni sanar mi corazón. No podía imaginar que volvería a sentir alegría.

»Tenía razón sólo en parte. Nadie podría ocupar nunca su lugar. Sin embargo, sí hubo alguien que sanó mi corazón. Esta hermosa joven que está sentada a mi lado. Creo que Dios me mandó a este ángel. Ella me ha dado un motivo para vivir. Cuando me preguntó si querría adoptarla, creo que ese agujero de mi corazón se llenó por fin. Señoría, en el fondo de mi ser Macy ya es mi hija. Pero sería un gran privilegio que el mundo la reconociera también como tal. Gracias.

Joette se sentó junto a Macy y se abrazaron. Todos los presentes en la sala sonreían o lloraban. El juez tenía un gesto radiante.

Entonces Macy se puso de pie mientras se enjugaba las lágrimas de los ojos.

—Hace trece años me trajeron a este mismo edificio para que me adoptara una familia que no me quería y de la que yo no quería formar parte. Me parece oportuno que la sala en la que me adoptaron se encuentre justo detrás de ésta. Porque a partir de hoy he dejado atrás todo aquello. Hoy vengo por propia voluntad para unirme legalmente como hija a una mujer a la que quiero y a la que deseo pertenecer. Esta mujer ha hecho más que proporcionarme un lugar donde vivir, me ha enseñado el significado del amor, de la familia y del hogar. —Se volvió a mirar a Joette—. Supongo que nunca es tarde para encontrar un hogar.

Por un momento las dos mujeres se miraron la una a la otra. Entonces Macy se volvió de nuevo hacia el juez.

—Gracias, señoría. —Se sentó al lado de Joette y la abrazó. Yo era consciente de que aún no sabía lo enferma que estaba en realidad y me costó controlar mis emociones. El juez estaba claramente emocionado por las palabras de las dos mujeres.

—¿Existe alguna objeción a este procedimiento? —preguntó, aunque yo estaba prácticamente seguro de que el hombre sería capaz de tirarle el mazo a cualquiera que objetara algo. Las únicas

respuestas fueron alguna que otra negación con la cabeza, unos
«no» expresados en susurros y un fuerte «¡Ni hablar!»

—Muy bien, por la autoridad que me ha conferido el estado
de Utah, autorizo esta adopción. Mi enhorabuena a las dos y que
Dios las bendiga.

Macy y Joette se pusieron de pie y todos los espectadores se
abalanzaron hacia ellas. Yo también me acerqué, un poco por detrás de los demás. Cuando llegué junto a Joette, ella me rodeó con
los brazos.

—Muchísimas gracias por venir.

—Enhorabuena —dije—. Tienes una nueva hija.

Su rostro se iluminó con una amplia sonrisa. Macy estaba hablando con otra persona, y cuando me volví para marcharme, ella
se excusó y corrió hacia mí. Me tomó de la mano y me hizo dar
la vuelta para mirarla.

—Gracias por venir —me dijo.

—De nada. Felicidades.

Nos quedamos mirando mutuamente un momento. Ella bajó
la mirada y tragó saliva.

—No quiero que te vayas.

Yo también bajé la vista para evitar sus ojos.

—Aquí no tengo nada —repuse.

Macy levantó la vista y vi el dolor que mi afirmación le había
causado. Inclinó la cabeza y alzó la mano para taparse los ojos. La
rodeé con mis brazos, la estreché contra mi pecho y rompió a llorar. Me resultaba doloroso verla herida. También era doloroso estar tan cerca de alguien a quien amaba y no podía tener. Aun así,
de un modo un tanto retorcido, algo en mi interior se alegraba.

Tras una semana de sufrimiento solitario estaba cansado de ser el único que padeciera por toda esta situación. Pero al final no pude disfrutar con aquel perverso placer que sentía, fuera lo que fuera, porque no quería verla afligida. Lo cual era una prueba más de que la amaba. Al cabo de unos minutos le di un beso en la cabeza.

—Buena suerte, Mace. Cuídate mucho.

Ella se separó de mí y me miró a los ojos. Nunca una mirada había penetrado tanto en mi alma. Aun así, por difícil que me resultara, respiré hondo y me di la vuelta. Macy no tardó en verse rodeada de gente que se alegraba por ella y que creía saber por qué lloraba.

CAPÍTULO

Veintinueve

He aprendido de primera mano que una verdad en el momento justo puede contrarrestar toda una vida de ignorancia.

⊠ DIARIO DE MARK SMART ⊠

El sábado por la mañana, cuando el sol se asomaba por encima de las montañas Wasatch, pasé a recoger a Victor y condujimos hasta el aeropuerto. Aunque intenté no pensar en Macy, mirara donde mirara veía algo que me recordaba a ella. «¿Cómo habíamos podido crear tanta historia en tan poco tiempo?», me pregunté. Por primera vez desde que nos conocíamos, la conversación de Victor guardaba relación con el mundo real. Quería saber por qué regresaba a Alabama. Lo cierto es que no podía responderle. O tal vez no quería hacerlo.

—Ha llegado el momento —contesté.

Ya me había pagado el coche y me dejó delante de la terminal de Delta. Saqué mis dos bolsas del maletero. Nos despedimos y se alejó en el Malibú que había sido mío. Hice que me facturaran el equipaje, me metí la tarjeta de embarque en el bolsillo de la camisa y entré en la terminal a esperar.

El vuelo me llevó a casa desde el Aeropuerto Internacional de Salt Lake City con una escala de tres horas en el Aeropuerto Hartsfield de Atlanta. Tuve tiempo de sobra para pensar. Macy tenía razón en una cosa: en las últimas cuatro semanas había pensado muy poco en mi madre. No era que la hubiera relegado al olvido; más bien era que tenía miedo de adónde podrían llevarme esos pensamientos. Ahora, cuando ya estaba preparado para afrontar mi pérdida de frente, me di cuenta de cuán lejos de casa me hallaba en realidad. Ni siquiera sabía dónde estaba enterrada mi madre. Llamé a mi tía Marge desde el aeropuerto de Atlanta y le dije que regresaba a casa. La noticia la puso eufórica y se ofreció a recogerme en el aeropuerto, pero rehusé. Necesitaba estar a solas un rato. Lo que sí acepté fue su oferta para quedarme en su casa. De ese modo mi padre ni siquiera sabría que yo estaba en la ciudad. Tampoco es que fuera a importarle.

Aterricé en Huntsville sobre las seis de la tarde. Las seis y cuarto, quizá. Recogí el equipaje, salí directamente de la terminal y tomé un taxi. El conductor pareció un tanto perplejo al oír mi destino.

—¿Quiere que lo lleve al cementerio de la ciudad?

—Sí, señor.

Se encogió de hombros.

—De acuerdo.

El taxi nos dejó a mí y a mi equipaje y, siguiendo mis instrucciones, se marchó. Mi tía me había indicado la ubicación aproximada de la tumba de mi madre en el cementerio. No estaba muy seguro de cómo llegaría a casa de mi tía, lo único que sabía es que no quería tener a nadie cerca.

Estaba nevando ligeramente y el suelo estaba cubierto por un grosor de nieve mayor del que recordaba haber visto nunca en Huntsville y que, aunque no era nada comparado con Salt Lake City, sí que dificultaba el paso. Escondí las bolsas detrás de un seto y avancé pesadamente con la nieve hasta los tobillos por entre las lápidas, leyendo rápidamente los nombres. Me pasé casi veinte minutos buscando sin suerte y empecé a preguntarme si no habría entendido mal las indicaciones que me había dado mi tía. Caminaba de vuelta para recoger las bolsas cuando encontré estas palabras grabadas en granito:

Alice Liddel Smart
Amada esposa y madre
16 de junio de 1946 - 23 de octubre de 1988

Fue en aquel momento cuando la muerte de mi madre se convirtió en algo completamente real para mí. Caí de rodillas y rompí a llorar. Luego, angustiado, grité: «¡Mamá!», y la palabra quedó amortiguada en el tranquilo entorno nevado. Me incliné, dejándome caer sobre las manos, y mi cuerpo se agitó mientras la nieve se amontonaba alrededor. No quería apartarla. Quería que me cubriera, que me enterrara con ella…

—¿Por qué te fuiste, mamá?

El sol de invierno empezaba a declinar y sumía el cementerio en las sombras. Permanecí allí arrodillado e inmóvil, frío como la lápida que tenía delante.

No sé cuánto tiempo había pasado allí cuando oí el sonido de unos pasos que crujían por la nieve. Levanté la mirada para ver quién era. Era Stu. Me puse de pie y él se detuvo. Nos quedamos mirándonos el uno al otro. Estaba a unos seis metros de distancia y llevaba puesta su chaqueta de mecánico de color azul marino manchada de aceite, la que llevaba cosido el parche con su nombre. Me enojé con él por haber irrumpido en mi dolor.

—¿Cómo supiste que estaba aquí?

—Me lo dijo Marge.

Entonces me enojé con ella también.

—¿Qué tal te ha ido? —me preguntó.

—¿Desde cuándo te importa cómo me va?

Él me dirigió una mirada vacía. No había ira en sus ojos; en aquellos momentos el monopolio de la ira era mío.

—Voy a decirte cómo me va. Perdí a mi madre, a dos chicas y mi beca para la universidad. He estado limpiando lavabos para salir adelante. Pero estoy seguro de que te alegrarás de oírlo.

Se frotó la cara.

—No, no me alegro.

Por muchas ganas que tuviera de marcharme de allí, supongo que, a mi manera, me estaba manteniendo firme.

—¿Por qué has venido?

—Quería verte.

—¿Para qué?

No pudo responder. Se sorbió la nariz y paseó la mirada en derredor. Luego la bajó a sus pies. Al cabo de un rato dijo:

—Tenía miedo de no volver a verte nunca más.

Estaba en lo cierto. Mi intención era no volver a verlo en mi vida. Aun así, su respuesta me sorprendió.

—¿Te pasas la vida ahuyentándome y ahora tienes miedo de que no vuelva?

—Supongo que sí.

No sabía qué me estaba pasando por la cabeza, pero lo que sí sabía era que probablemente aquélla fuera mi única oportunidad para decir lo que había que decir.

—¿Por qué tuviste que ponérmelo todo tan difícil? ¿Por qué no podías haber sido un padre de verdad?

Me esperaba que arremetiera contra mí, pero se limitó a quedarse allí de pie mirándome con tristeza. Respiró hondo.

—Está bien. Ven conmigo. Ya es hora de que lo sepas.

—¿De que sepa el qué?

—Quiero enseñarte una cosa. —Empezó a alejarse de mí caminando con paso vacilante por la nieve. Al principio me quedé allí parado, sin saber qué estaba tramando. Luego se impuso la curiosidad. Lo seguí, manteniéndome en todo momento a unos diez metros por detrás, como mínimo. El único ruido que se oía era el del viento y el crujido de nuestros pasos sobre la capa de nieve. Finalmente, se detuvo al pie de un montículo frente a otra lápida y se metió las manos en los bolsillos.

La lápida era de alabastro, y acusaba el paso del tiempo a la intemperie, estaba cubierta por una fina capa de nieve helada y las sombras la ocultaban parcialmente. Sin dejar de mantenerme a cierta distancia de Stu, me acerqué y me fijé en las palabras grabadas en la cara de la losa. La lápida tenía una bandera norteamericana grabada en ella.

Virgil Marcus Hunt
14 de febrero de 1949 - 4 de marzo de 1969

Lo miré esperando una explicación, pero él no dijo nada. Al final pregunté:

—¿Éste quién es?

Mi padre no respondió. Se limitó a pasarse la mano por el pelo como siempre hacía cuando no sabía qué decir.

—¿Por qué me has traído aquí?

Se volvió a mirarme con una expresión de angustia.

—Éste es tu padre.

—¿Cómo dices?

Empezó a alejarse de la tumba como si le resultara doloroso estar cerca de ella. Lo seguí.

No dejó de caminar hasta que llegamos junto a la tumba de mi madre. Se sentó en un banco de mármol blanco situado a unos metros de distancia y ocultó el rostro entre las manos.

—¿Qué quieres decir con eso de que es mi padre?

Me pareció que tardaba mucho en levantar la mirada.

—Estoy seguro que se te habrá pasado por la cabeza bastantes veces cómo era que una mujer como tu madre había acabado con un tipo como yo. No fui la primera elección de tu madre. Nunca lo fui. Ella salía con unos cuantos tipos. Conmigo, con Virgil, que está ahí atrás, y con otro chico de Birmingham. Pero ella prefería a Virgil. Era un estudiante universitario, un tipo muy famoso en el campus. Tocaba muy bien la guitarra. Yo no era más que…, ya sabes. No es de extrañar que lo eligiera a él.

»Cuando todavía estaban prometidos, a él lo llamaron a filas. Ellos se fugaron sin decírselo a nadie. Creo que fui el último en enterarme. Un día, cuando aún creía que tenía alguna posibilidad con ella, fui a comprarle unas flores en Pat's y la dependienta conocía a Alice. Me contó que ella y Virgil se habían casado. Ella misma le había preparado el ramo de novia. Eso casi acabó conmigo. La dependienta de la floristería lo sabía y yo no.

»Al cabo de seis semanas Virgil se marchó a Vietnam. Muchos chicos que conocíamos no regresaron nunca. A él lo mataron cuando apenas llevaba cuatro meses allí. Así, sin más. Tu madre aún no había cumplido diecinueve años y ya era viuda. —Se volvió a mirarme—. Y estaba embarazada de ti.

»Cuando me enteré de que habían matado a Virgil, me acerqué a verla para darle el pésame, pero ambos sabíamos el motivo de mi presencia. Ella estaba sufriendo mucho, pero no me echó. —Bajó la mirada—. No debería haberme quedado. Sabía que su corazón seguía estando con Virgil, pero yo no amaba a ninguna otra. Cuando me quise dar cuenta, ya éramos novios. Estaba casi seguro de que lo único que ella quería era que su hijo tuviera un padre…, prácticamente me lo dijo en un par de ocasiones.

»Me dije que no importaba. El corazón hace esas cosas. El hecho de que un tipo como yo tuviera la oportunidad de estar con Alice era como ganar la lotería de Alabama y la de Florida a la vez, ¿qué más da cómo lo consigas? Pensé que con el tiempo llegaría a quererme. —De pronto a mi padre se le llenaron los ojos de lágrimas—. Nunca me quiso. Me soportaba. Pero nunca me amó. Era como si ya hubiera renunciado a esa parte de su corazón.

Por primera vez en mi vida vi llorar a mi padre. No dejó de mirarme ni un solo momento, sin avergonzarse de las lágrimas que corrían por su rostro.

—Yo la quería, hijo. Hubiera sido cualquier cosa que ella quisiera. Pero no podía ser quien ella quería. Ella quería que ese hombre volviera. —Se le quebró la voz—. Te amaba con locura. Y yo tenía celos de ti y de ese amor. Porque sabía que no se trataba solamente de que fueras su hijo. Era porque, en parte, tú eras él.

Se enjugó los ojos con el dorso de la mano.

—Sé que no me porté bien contigo. No estoy orgulloso de ello. Descargué todo mi dolor en ti. No estuvo bien, simplemente fue así.

Se metió las manos en los bolsillos de la chaqueta y volvió la mirada hacia la lápida.

—Por eso vine. Quería decirte lo mucho que lo lamentaba. —Me miró a los ojos—. Lo siento.

En mis veinte años de vida nunca había oído dos palabras seguidas de boca de mi padre. Durante un rato ninguno de los dos dijo nada. La nieve seguía cayendo, nos envolvía. Entonces se sacó algo del bolsillo de la chaqueta.

—La cuestión es que, al darme cuenta de que probablemente no volveré a verte, te he traído unas cosas.

Se puso de pie y se acercó a mí. Extendió la mano. Yo tendí la mía y me puso un anillo de oro en la palma.

—Éste es el anillo que Virgil le dio a tu madre el día de su boda. Ella lo llevaba colgado al cuello de una cadena. Nunca se lo quitaba. Sé que hubiera querido que lo tuvieras tú. Espero que no te importe, pero me he quedado con la cadena.

Alcé el anillo para examinarlo. Era una alianza de oro amarillo con un diamante marquesa rodeado por unos pequeños zafiros azul oscuro. Recordé que había visto aquel anillo en una ocasión en la que ella estaba deshierbando un arriate y se le había salido de la blusa. Le pregunté por él, pero ella se lo volvió a meter dentro y continuó arrancando hierbas.

Me metí el anillo en el bolsillo. Entonces Stu sacó un paquete más grande de su abrigo, una bolsa de papel marrón para envolver la comida, manchada de aceite de motor. Me la entregó. Abrí la bolsa y miré en su interior. Contenía un grueso fajo de billetes, casi todos de veinte y de cincuenta dólares.

—¿Qué es esto?

—Es dinero que he estado ahorrando para tus estudios. Sé que te irá muy bien, sea lo que sea lo que acabes haciendo. Tú siempre fuiste inteligente como tu madre. Y como tu padre.

Me di cuenta de que le resultó muy difícil pronunciar aquella última palabra. Entonces se dio media vuelta y empezó a alejarse, arrastrando lentamente los pies por la nieve. En realidad, no sé cómo, pero en aquel momento Stuart Smart ya no era el icono que había odiado y temido. Sólo era un hombre…, un ser humano que sufría. Un hombre como yo. Era lo que Joette había definido como: «el hombre tras la cortina». Empezó a desaparecer entre las sombras.

—¡Eh, papá!

Se detuvo y se dio media vuelta poco a poco.

—Gracias.

Asintió con la cabeza.

Me froté la nariz con el guante.

—¿Quieres que vayamos a algún sitio a charlar?

Se me quedó mirando un momento interminable. Entonces respondió:

—Eso me gustaría.

Caminé hacia él. Cuando estuvimos a un metro de distancia, nos quedamos parados mirándonos. Y entonces ocurrió un milagro. Extendí los brazos y lo abracé. En aquel momento, el mundo que creía conocer ya no existía. En aquel momento, Stuart Smart se convirtió en mi padre.

CAPÍTULO

Treinta

Hago todo lo que puedo
para que mi mente permanezca aquí, en Alabama.
Sin embargo, mi corazón sigue vagando por Utah.

⊠ DIARIO DE MARK SMART ⊠

Es probable que durante las dos semanas siguientes mi padre y yo habláramos más de lo que lo habíamos hecho en los veintidós años anteriores. Hasta me ofrecí voluntario para ayudarle en el taller y, sorprendentemente, no fue como uno de los círculos del infierno que describía Dante. Una tarde que estábamos comiendo juntos, le hablé de Macy. Él no dijo demasiado, pero me di cuenta de que comprendía mi dolor. También le hablé de Joette. Me pregunté cómo estaría y si le habría contado a Macy lo enferma que estaba en realidad. Me entró dolor de estómago al pensarlo.

—¿Vas a volver? —me preguntó mi padre.

Meneé la cabeza.

—No tengo ni idea.

Durante mi tercera semana en casa, un día estaba trabajando debajo de un coche y mi padre se acuclilló a mi lado.

—Tienes una visita, hijo.

Rodé para bajarme de la camilla. De pie junto a mi padre estaba Tennys, mi ex novia.

—Hola —me dijo.

Me puse de pie y agarré un trapo del banco de trabajo para limpiarme las manos. Estaba aún más guapa de lo que recordaba, su larga cabellera rubia le caía sobre un hombro como por casualidad. Conocía lo bastante bien a Tennys como para saber que nada que tuviera que ver con su aspecto era una casualidad. De no haber sabido que no era así, habría pensado que intentaba impresionarme.

—Me alegro de volver a verle, señor Smart —le dijo a mi padre.

—Ha sido un placer volver a verte —repuso él. Me hizo un gesto con la cabeza y nos dejó solos.

—¿Qué hay de nuevo? —le pregunté.

—Mm… No mucho.

—Cuesta de creer, señora…

—Nada de «señora». A menos que fueras a decir «señora que perdió el tren».

—¿No te has casado todavía?

—Rompimos. No, lo cierto es que rompió él. Su novia regresó.

—¿Tenía otra novia?

—Es una larga historia.

—¡Qué canalla! —comenté.

Ella sonrió irónicamente.

—Saqué un diamante. Creo que se sentía tan avergonzado por todo que me dijo que me lo quedara. —Me miró y su expresión tenía una dulce vulnerabilidad—. ¿Y a ti cómo te ha ido?

—He sobrevivido.

—¿Qué tal es Salt Lake City?

—Es bonita. Hay grandes montañas. Mucha nieve. La gente es agradable.

—¿Te va bien en la facultad?

—Me fue bien mientras duró.

Ella se balanceó sobre los talones.

—¿Has vuelto para quedarte mucho tiempo?

—No lo sé. Tal vez me quede para siempre.

Me di cuenta de que eso la complacía.

—Bien. Bueno, sólo quería darte la bienvenida a casa. Tengo que irme a trabajar.

—¿Dónde trabajas?

—Encontré un empleo en Lord and Taylor's. Estoy en el departamento de zapatería femenina.

—Haces lo que a ti te gusta.

Se echó a reír.

—Me tienes calada, ya lo creo. Con el descuento que tenemos los empleados, me gasto casi todo el sueldo antes de cobrarlo. —Su voz se suavizó—. Estaba pensando que tal vez pudiéramos ir a tomar un café cuando salga. O a cenar, ¿eh? Me toca pagar a mí.

No respondí.

—Puedes decir que no —me dijo—. Dios sabe que me lo merezco —ladeó ligeramente la cabeza. Sabía que me volvía loco cuando hacía eso—. Se me ocurrió preguntártelo.

Se estaba mostrando demasiado humilde como para rechazar su invitación.

—¿A qué hora sales? —le pregunté.

—Sobre las seis.

—No tengo coche. A menos que robe éste.

—Puedo pasar a recogerte.

—De acuerdo. Pues nos vemos entonces.

Ella sonrió.

—Estoy impaciente.

CAPÍTULO

Treinta y uno

Esta noche Tennys y yo hemos cenado en el infierno del vegetariano.
Me hizo una oferta que no sé si debería rechazar.

☒ DIARIO DE MARK SMART ☒

Tennys y yo tomamos asiento en una mesa pequeña de un rincón del Porky's Barbeque. Porky's era más que un restaurante, era un templo de la carne donde se practicaban rituales carnívoros sin ningún reparo con un rollo de servilletas de papel en cada mesa y un envase de seis cervezas vacío en el que se habían dispuesto unas botellas de plástico exprimibles llenas de salsa barbacoa de varios grados de picante, y donde servían ensalada de col y alubias a granel.

Rechacé la invitación de Tennys para tomar café, puesto que no había comido nada desde el almuerzo y, lo que era aún más importante, no había disfrutado de una buena barbacoa desde que me marché de Alabama. Devoré una gran fuente de bistec de ternera y costilla de cerdo mientras ella comía desganada una pechuga de pollo y ensalada de col.

Tennys estaba guapísima, pero, claro, siempre lo estuvo. Era lo que mi padre llamaba una «atrapa miradas boquiabiertas». Aquella noche lo estaba demostrando.

—¿Vives en tu casa? —preguntó cuando yo tenía la boca llena. Asentí con la cabeza.

—¿Con tu padre? —insistió encogiéndose un poco.

—Las cosas han cambiado —le dije.

—Han cambiado. ¿Como si se hubiera congelado el infierno?

—Cuesta creerlo, lo sé.

—Bueno, quizá sea cierto…, la ausencia hace que aumente el cariño.

—¿Y qué dice eso de la unión?

Ella lo consideró.

—La verdad es que nunca me gustó ese dicho.

Terminé de arrancar la carne de una costilla.

—Bueno, háblame del quiropráctico.

—Eso es como preguntarle a la señora Lincoln si le gustó la obra.

—Lo siento.

—No pasa nada. Probablemente tendría que hablar de ello. Estoy segura de que es catártico. —Dejó el pollo de lado—. Me hice daño en el cuello jugando a vóleibol y fui a esa consulta de quiroprácticos nueva que hay en Broadway para que me hicieran un ajuste. ¡Y vaya si me lo hicieron! Tendría que haberlo visto venir. Lo primero que me preguntó fue por qué una chica tan guapa como yo no llevaba anillo. No sabía que su novia lo había plantado el día anterior.

»Cuando me quise dar cuenta, ya nos veíamos alguna que otra noche. Me compraba bombones, flores, joyas. Llevaba un par de semanas sin recibir noticias tuyas…

—No me culpes a mí de esto —protesté mientras me limpiaba las manos con una servilleta de papel—. Fue todo cosa tuya, ¿o no?

—Bueno, tú también podrías haberme llamado más a menudo —replicó—. El caso es que, para mi sorpresa, me propuso matrimonio. Y para mi sorpresa, acepté.

—¿Así, sin más?

—Arrastrada como un ratón silvestre en una riada. Fue una especie de preparados, apunten, fuego. Dije que sí y durante las tres semanas siguientes me estuve convenciendo de ello cada día. Mi madre estaba encantada, por supuesto. Pensó que había dado con una mina de oro al casarme con un «doctor». Empezó a andar por ahí haciendo planes como si fuera su propia boda. —Su expresión cambió—. Pero ¿sabes qué?, no dejaba de pensar en ti. Claro que estaba muy enfadada contigo... por el hecho de que no me lo hubieras pedido tú antes. Incluso obtuve cierto placer culpable al escribirte esa carta para romper contigo. El día después de mandarla me enteré de la muerte de tu madre. Me sentí fatal. Quise llamarte. Le pedí el número a tu padre, pero me dijo que no lo tenía. Luego me sentía demasiado avergonzada como para asistir al funeral. No sabía qué iba a decir y pensé que lo más probable era que sólo consiguiera hacerte las cosas más difíciles. Pero lo lamenté de verdad. Tu madre era una mujer encantadora.

—No fui al funeral —le dije.

—¿Qué?

—No estaba en la universidad. Perdí mi beca. Pero no se lo dije a nadie, de manera que cuando intentaron llamarme no pudieron encontrarme. No me encontraron hasta que llamé a casa dos días después del funeral.

Tennys puso la mano sobre la mía.

—Lo siento mucho.

—Una mala época —dije.

—Ojalá hubiera podido estar ahí para ayudarte.

—Sí, ojalá —repuse. Lo dije en serio.

Al cabo de un momento me preguntó:

—Dime, ¿dejaste a alguna novia en Salt Lake City?

No estaba seguro de si quería hablarle de Macy.

—Algo parecido. En realidad, era una amiga.

—¿Nada serio entonces?

Vacilé.

—Le pedí que se casara conmigo.

Su rostro denotó sorpresa.

—¿De verdad?

—Sí. Lo hice.

—¿Y qué te contestó?

—Nada. Podríamos decir que se marchó corriendo.

Tennys se me quedó mirando un momento y luego empezó a reírse, al principio en voz baja, pero luego lo hizo de un modo odiosamente escandaloso. Todos los comensales de las mesas de alrededor nos miraron para ver qué era lo que le hacía tanta gracia.

—Tampoco había para tanto —le dije.

Me puso la mano sobre la mía.

—Perdona, no me estoy riendo de ti. Es que la ironía de todo esto es sencillamente exquisita. Henos aquí, los ídolos del instituto Roosevelt, el rey y la reina de la fiesta de antiguos alumnos, y a ambos nos han plantado de camino al altar. ¡Menuda pareja hacemos! Somos perfectos el uno para el otro.

—Tienes razón, es bastante gracioso.

Ella suspiró alegremente.

—Pues quizá deberíamos fugarnos juntos. Yo todavía tengo el anillo —alzó la mano para enseñármelo—. Gracias, doctor Ball.

—Un momento, ¿se apellida Ball?

Ella asintió con la cabeza.

—Ajá.

—¿Y tú te hubieras llamado Tennys Ball?[7]

Sonrió.

—Me temo que sí.

Entonces fui yo quien estalló en carcajadas.

—Estaba condenado al fracaso desde el principio.

Ella empezó a reírse otra vez. Se inclinó hacia mí y nos besamos. Sabía por experiencia pasada que Tennys besaba de miedo. Esa mujer podría haberle enseñado un par de cosas a Rodin. Cuando nos separamos, le dije:

—¿Estás segura de que quieres casarte con alguien que no ha completado los estudios universitarios?

—Tendremos unos niños muy guapos.

Sonreí.

—Dame un día para pensármelo.

---

7. El nombre suena igual que *tennis ball*, que en inglés significa «pelota de tenis». (*N. de la T.*)

CAPÍTULO

Treinta y dos

Mi padre es mucho más listo de lo que nunca hubiera pensado.
A decir verdad, no creo que él se volviera mucho más listo
de lo que era…, sólo lo hice yo.

⊠ **DIARIO DE MARK SMART** ⊠

No llegué a casa hasta pasadas las dos de la madrugada y me desperté cuando sonó la alarma de mi radio despertador menos de cuatro horas y media después. Me puse los vaqueros Levi's y mi sudadera carmesí de la Universidad de Utah y entré en la cocina a trompicones y con cara de sueño. Saqué dos gofres del congelador y los metí en la tostadora mientras mi padre me observaba, divertido, con una taza de café en la mano.

—Anoche llegaste tarde —dijo.

—Estuve con Tennys.

Meneó la cabeza.

—Esa chica es muy guapa. Pensaba que se iba a casar.

—Iba a hacerlo. El tipo se echó atrás.

Mi padre no dijo nada. Fue a la nevera y sacó un paquete de salami, un corazón de lechuga y un tarro de mayonesa.

—¿Te va bien un sándwich de salami?

—Claro —contesté—. Pero puedo hacérmelo yo.

—Ya estoy en ello.

Me dejé caer en la silla junto a la mesa y cerré los ojos.

—¿Dónde tienes el árbol de Navidad?

—Con la muerte de tu madre no estaba de humor.

—No es lo mismo —dije.

—No —repuso—, no lo es. —Mis gofres saltaron de la tostadora y volví a levantarme. Los cogí, les puse mantequilla y los llevé a la mesa.

—¿Puedo preguntarte una cosa?

Él me miró, intuyendo la gravedad de mi pregunta.

—Tal vez.

—¿Mamá te mereció la pena?

Se quedó un momento sin decir nada.

—¿A qué te refieres?

Elegí mis palabras con cuidado.

—Ahora que sé toda la verdad…, este matrimonio fue muy duro para ti. —Respiré hondo—. Eres un tipo atractivo, estoy seguro de que hubo otras mujeres…

—Hubo unas cuantas.

—Entonces, ¿qué hay de malo en tomar el camino fácil? Ir a lo seguro.

Me dirigió una mirada de complicidad.

—¿Tennys quiere casarse contigo?

Me eché a reír. Mi padre era más listo de lo que yo creía.

—Sí.

—Hijo, en los asuntos del corazón no hay nada seguro. —Frunció el ceño—. No sé si alguna vez he valorado algo que me sucediera fácilmente. En ocasiones, es la lucha lo que hace que valga la pena tener una cosa.

—¿Y mamá compensó la lucha?

Me miró con semblante serio.

—A cada minuto.

Dejé que sus palabras hicieran mella.

—La cuestión es que no sé si me quiere. ¿Qué pasa si regreso y sólo consigo que vuelva a rechazarme?

Mi padre me miró con aire pensativo.

—Podría pasar. Pero ¿sabes lo que sería aún peor?

—¿Qué?

—Que ella te estuviera esperando y que tú nunca regresaras porque tuvieras miedo.

Me lo quedé mirando. Entonces una sonrisa se fue extendiendo poco a poco por mi rostro. Él metió los sándwiches en una bolsa de papel junto con media bolsa de patatas fritas sabor barbacoa.

—¿Vienes?

—Creo que tengo que coger un avión.

—Bueno, pues telefonea a la compañía aérea. No puedo pasarme el día esperándote.

—La cuestión es que no sé si me quiere. ¿Qué pasa si regreso y sólo consigo que vuelva a rechazarme?

Mi padre me miró con aire pensativo.

—Podría pasar. Pero ¿sabes lo que sería aún peor?

—¿Qué?

—Que ella te estuviera esperando y que tú nunca regresaras porque tuvieras miedo.

Me lo quedé mirando. Entonces una sonrisa se fue extendiendo poco a poco por mi rostro. Él metió los sándwiches en una bolsa de papel junto con media bolsa de patatas fritas sabor barbacoa.

—¿Vienes?

—Creo que tengo que coger un avión.

—Bueno, pues telefonea a la compañía aérea. No puedo pasarme el día esperándote.

CAPÍTULO

Treinta y tres

Llamé a Tennys para decirle que iba a regresar a Utah.
Aunque me parece que se llevó una desilusión,
nadie lo hubiera dicho. Juro que si le dijerais a esa mujer
que tenía el pelo ardiendo os preguntaría
si las llamas le hacían juego con la blusa.

⊠ **DIARIO DE MARK SMART** ⊠

Me marché de Huntsville tres días antes de Navidad, pero no llegué a Salt Lake City hasta la víspera. En medio de la loca desbandada de los viajes navideños, la compañía aérea había vendido un número excesivo de billetes para el vuelo de Atlanta y fui el único dispuesto a ceder mi asiento a cambio de un billete de ida y vuelta gratis, una cena y una noche en un hotel. Desde Alabama llamé a Victor, quien accedió a ir a recogerme al aeropuerto y, un tanto a regañadientes, convino en prestarme el Malibú durante el tiempo que me quedara en Utah.

El avión aterrizó en Salt Lake hacia las siete de la tarde. Encontré a Victor leyendo una novela de ciencia ficción en la zona de reclamación de equipajes. Lo llevé a casa y luego fui directamente a la de Macy.

El dúplex estaba a oscuras y delante del porche delantero había tres periódicos en el suelo. El coche de Joette todavía estaba en la entrada, con el parabrisas cubierto por casi tres centímetros de nieve que se había endurecido con una capa de hielo. El coche de Macy no estaba. Llamé al timbre al menos tres veces, pero nadie respondió. Después di la vuelta en torno a la casa y miré por las ventanas. No había ningún indicio de que hubiera alguien dentro.

Cavilé sobre adónde dirigirme a continuación y me decidí por The Hut. Era una noche tranquila en la cafetería. Sonaba música navideña y había unas cuantas parejas sentadas a las mesas con bolsas y cajas de compras de última hora apiladas a sus pies. Me acerqué al mostrador principal. La chica de la caja me reconoció.

—Eh, tú eres el guitarrista.

—Sí. ¿Has visto a Macy?

—¿A Mary?

—Lo que sea.

—Mary no ha venido a trabajar estos últimos días. Oí que su madre está en el hospital. Está muy enferma.

Sentí una opresión en el pecho.

—¿Sabes en qué hospital está?

—Lo siento, no sabría decirte.

—¿Quién podría saberlo?

—No lo sé.

—Debe de habérselo contado a alguien. Quizá lo dejó anotado.

—No sé si servirá de algo, pero miraré en la parte de atrás. —Se dirigió al despacho y regresó al cabo de unos minutos—. He llamado a Jeff. Dice que está en el Hospital Holy Cross.

—Gracias —corrí hacia la puerta.

—Espero que vuelvas a tocar —me gritó mientras me marchaba—. Estuviste formidable.

Me dirigí a toda velocidad hacia el centro de la ciudad, al Holy Cross. Aparqué en el tercer piso del aparcamiento del hospital y crucé la calle corriendo. En el vestíbulo se oían villancicos. La voluntaria de recepción llevaba un sombrero de Papá Noel y un collar con cascabeles. Me dijo que Joette estaba en la sexta planta del ala oeste del hospital, en la habitación 616.

Pasaba un cuarto de hora de medianoche cuando entré en la habitación semiprivada. Las dos camas se hallaban separadas por una cortina que colgaba entre ellas de un riel metálico.

Joette estaba durmiendo en la cama más alejada de la puerta. El cabezal estaba ligeramente elevado y encima de ella había una pequeña lámpara de lectura encendida. Macy dormía a su lado, con la cabeza apoyada en el costado de Joette. Incluso bajo aquella tenue luz, vi lo mucho que había empeorado físicamente la mujer durante las pocas semanas que yo había estado fuera. De no haber sabido que aquélla era su habitación, probablemente no la hubiese reconocido.

Llevaba allí de pie unos minutos cuando entró una enfermera. La sobresalté. Con una voz que era poco más que un susurro me dijo:

—No es hora de visita. Tendrá que marcharse.

Le indiqué por señas a la enfermera que me siguiera y salimos al pasillo.

—Lo siento. Es que acabo de llegar a la ciudad. ¿Cómo está?

La enfermera torció el gesto.

—Se está muriendo. Su hígado está dejando de funcionar.

—¿Cuánto tiempo le queda?

—No lo sé. He visto a personas en su mismo estado que han durado unas pocas horas y he visto a otras que han aguantado días. Será cuando Dios quiera. Pero no espero que dure mucho más

—frunció el ceño—. Lo siento, pero a menos que sea un familiar directo, las horas de visita se terminaron a las nueve.

—La cuestión es que me pidió que cuidara de su hija. Y si ésta es su última noche, yo debería estar ahí.

La enfermera me miró un momento, sin saber qué hacer.

—Es Navidad —le dije, jugando la baza de las fiestas.

—De acuerdo.

—Gracias.

La enfermera retomó sus rondas y yo volví a entrar en la habitación. Junto a la cama de Joette había un sillón abatible y me senté en él. Me pasé casi todo el rato mirando a Macy allí tendida durmiendo junto a su madre. Me pregunté cuánto tiempo habría pasado sin dormir. Quise abrazarla y consolarla igual que ella había hecho la noche en que nos conocimos. Gimió levemente en sueños. Me acerqué y la rodeé con el brazo. Ella se movió un poco, dijo algo que no entendí, levantó la cabeza y miró a su alrededor con la vista gacha y el cabello enmarañado a un lado. Me miró, parpadeó varias veces y entonces se le abrieron más los ojos. Dijo en un susurro:

—¿Mark?

—Hola, Mace.

Me miró de hito en hito, incrédula.

—Has vuelto.

—Sí.

—Joette…

—Ya lo sé —le dije, y la atraje hacia mi regazo.

Ella se acurrucó contra mí. Alzó la cabeza.

—¿Qué estás haciendo aquí exactamente, señor Smart?

—Tú descansa —contesté—. Duerme. Yo vigilaré a Joette.

Recostó la cabeza en mi pecho.

—Has vuelto —repitió con voz soñolienta.

Le puse la mano en la cabeza y le acaricié suavemente el pelo.

—Sí —repuse—. He vuelto.

CAPÍTULO

Treinta y cuatro

*He llegado a creer que hay momentos demasiado profundos
para que el tiempo los contenga.*

⊠ DIARIO DE MARK SMART ⊠

DÍA DE NOCHEBUENA

A la mañana siguiente me desperté temprano y Macy seguía dormida en mis brazos. Joette estaba despierta y nos miraba. Bajo la luz matutina previa al alba distinguí el tono ictérico de su piel y sus ojos. Con todo, se la veía tranquila.

—Hola, Joette —le dije en voz baja.

—Hola, Mark.

Alargué el brazo para cogerle la mano, que sentí pequeña y frágil en la mía.

—¿Cómo estás? —le pregunté. En la historia de las preguntas idiotas, ésta tenía que ser su bomba atómica.

Ella esbozó una sonrisa forzada. Le acaricié la mano suavemente con el pulgar.

—Lo siento.

—Yo también —susurró.

Cerró los ojos y pareció que volvía a quedarse dormida. Al cabo de veinte minutos volvió a abrirlos. Hablaba arrastrando las palabras, pero con coherencia.

—¿Viste a tu padre?

Asentí con la cabeza.

—Sí. Todo va bien por Oz.

Ella sonrió.

—Gracias, Joette. Has hecho mucho por Macy. Y por mí.

Ella se pasó la lengua por los dientes.

—Cuida de mi niña.

—Lo haré.

Cerró nuevamente los ojos y volvió a dormirse. Macy también seguía durmiendo. Alrededor de las ocho de la mañana entró una enfermera a comprobar las constantes de Joette. No me dijo nada, pero no fue necesario. El último viaje de Joette había empezado.

Macy se despertó poco después de las nueve. Se irguió de golpe, temerosa de que Joette pudiera haberse extinguido mientras ella dormía. Adiviné lo que pensaba y le apreté la mano.

—Sigue aquí —le dije.

Pareció sorprenderse otra vez al verme; supongo que antes debió haber pensado que mi regreso era un sueño. Se levantó, fue al baño y luego retomó su vela en la silla de plástico junto a la cama de Joette. Yo bajé a la cafetería y le traje un zumo de naranja y un bollo con crema de queso, pero Macy no tocó ninguna de las dos cosas.

Las dieciocho horas siguientes pasaron muy lentamente. Joette durmió y se despertó varias veces buscando a Macy con la mirada. De vez en cuando, ésta le aplicaba vaselina en sus labios resecos y le humedecía la boca con unos bastoncillos. No se apartó en ningún momento de su lado.

Pasada la medianoche, la enfermera de guardia empezó a aumentar la dosis de morfina de Joette, quien se volvió menos consciente de su entorno. Hubo un momento en el que alzó los ojos hacia una esquina de la habitación y clavó allí la mirada. Entonces una lágrima rodó por su mejilla y con voz clara dijo:

—Todavía no.

—¿Ves a alguien? —le preguntó Macy.

—Angel —respondió con un susurro.

—¿Ves un ángel? —pregunté.

—No —dijo Macy. Se inclinó para acercarse más a la mejilla de su madre—. ¿Angela está aquí?

Joette articuló un sí silencioso.

A Macy se le llenaron los ojos de lágrimas.

—Ve con ella, mamá. Puedes marcharte. Estaré bien.

Joette se volvió a mirarla a los ojos.

Macy empezó a sollozar sin hacer ruido.

—Te quiero.

Al cabo de unos minutos me acerqué y le puse la mano en la espalda a Macy. Luego me incliné y le di un beso en la frente a Joette.

—Feliz Navidad, Jo —le dije en voz baja—. Para ti y para Angela.

No sé cuánto tiempo exactamente permanecimos allí sentados aquella Nochebuena, en la habitación tenuemente iluminada del sexto piso del Hospital Holy Cross, pero en algún momento durante la noche, por segunda vez en su vida, Macy perdió a su madre.

CAPÍTULO

Treinta y cinco

Hoy el mundo es un poco más sombrío.

◙ DIARIO DE MARK SMART ◙

EL FUNERAL DE JOETTE

A Joette la enterraron dos días después de Navidad. Le ofrecí a Macy un poco de dinero del que mi padre me había dado para que pagara el funeral, pero no lo necesitaba. Joette ya lo había organizado todo y había pagado a la funeraria por anticipado. Incluso después de muerta, cuidó de Macy.

El funeral fue muy hermoso. Se celebró en una iglesia mormona cercana y el entierro fue en un pequeño cementerio de las afueras que se llamaba Campos Elíseos.

Asistieron al funeral de Joette más de un centenar de personas, la mayoría de las cuales eran antiguos empleados de Denny's y sus clientes. Constituían un grupo ecléctico. Algunos vestían con trajes o vestidos tradicionales, pero también los había que llevaban ropa de cuero de la que usan los moteros de Harley-Davidson, ancianos con pantalones de *tweed* y chaquetas de punto y camioneros con vaqueros y camisas de franela. Joette formaba parte de todos ellos. Era camarera, consejera matrimonial, terapeuta y, para unos cuantos, la chica con la que soñaban. Un camionero de aspecto hosco que llevaba unas gafas de sol estilo aviador de cristales anchos para ocultar su dolor le dejó un billete de diez dólares en el ataúd. Supongo que quería dejarle una última propina.

Después del funeral, cuando nos dirigíamos al coche, nos abordó un hombre que se presentó como el ex cuñado de Joette. Sin dar ninguna explicación, le entregó a Macy un sobre de papel Manila, le expresó sus condolencias y acto seguido se marchó.

Acompañé a Macy a su casa. Sabía que irse a casa sin Joette sería especialmente difícil, y tenía razón. Estuvo a punto de desplomarse al entrar. La llevé al sofá y la abracé mientras lloraba. Su dolor era inconsolable.

Permanecimos allí sentados, bajo el tenue resplandor de las luces del árbol de Navidad, llorando la pérdida de una amiga. Lo único que dijo Macy fue:

—Esto tenía que ocurrir en Navidad. Jo lo hubiera querido así.

Pasaron varias horas antes de que abriera el sobre. Dentro había una copia del testamento de Joette. Como es lógico, hacía ya algún tiempo que había estado preparando su partida. Había ahorrado una buena suma y había contratado una modesta póliza de seguro de vida que liquidaba la hipoteca del dúplex. Se lo había dejado todo a Macy, lo cual no era nada sorprendente.

Había otro sobre que contenía una carta escrita durante sus últimas semanas de vida. Macy abrió el sobre y desplegó la hoja de papel lino. Tenía grabadas en relieve dos zapatillas de rubí sobre las palabras: «No hay lugar como el hogar». Macy rompió a llorar sólo con ver la letra de Joette. Leyó la carta despacio y entre lágrimas.

Para mi querida Macy:

Cuando recibas esta carta me habré ido. Pero no para siempre.

Una noche, de madrugada, cuando luchaba con mi dolor y mi miedo, recé con toda la energía de mi corazón para saber lo que me aguardaba en el otro lado. Dios le habló a mi alma y supe con certeza que todo iría bien…, que no tan sólo me reuniría con mi Angela, sino que, algún día, también volvería a estar contigo. A partir de ese momento me he sentido en paz. Sé que ahora mismo tienes el corazón roto, pero no temas. Dios ha conquistado la muerte. Y algún día volveremos a estar en casa. Juntas. Te estaré esperando, cariño. Pero mientras tanto, saca el mayor provecho posible de todos los momentos de los que tengas la suerte de gozar. Ama. Sufre. Ríe. Llora. Baila. Tropieza. ¡Y bebe mucho chocolate!

Hay una cosa más que quiero que sepas. Siempre me ha hecho mucha ilusión pensar en el día en que tú también tengas un hijo. Una de las mayores decepciones de mi vida es el hecho de no llegar a poderlo compartir contigo. Déjame que te lo cuente ahora: vas a sentirte inepta. Te preocupará no saber hacerlo bien, sobre todo cuando en realidad tú nunca tuviste un buen modelo. Pero tú tranquila, lo harás de maravilla. Cualquier niño sería afortunado de tenerte como madre. Recuerda, al final lo que de verdad importa es tu amor. Cometerás errores todos los días, pero, no sé cómo, el amor se lo lleva todo, como una ola que limpia la playa, y cada día empiezas de nuevo.

¡Tu corazón abunda en amor, mi dulce Macy! Lo sé porque he sido la afortunada que lo ha recibido durante todos estos maravillosos años que hemos compartido. He sido la más afortunada de las mujeres. Para mí fuiste un regalo de Dios. He llegado a respetarte y a venerarte en muchos aspectos. Una vez le dije a un cliente que de mayor quería ser como tú. Gracias por enseñarme lo que significa la amistad. Todo lo que te he dado no ha hecho más que devolver una parte de lo que tú me has dado a mí. Estaré esperando. Pero no vengas demasiado pronto. ¡Aún te queda mucha vida por vivir! Tuya eternamente,

Tu madre,
Jo

CAPÍTULO

Treinta y seis

Agradezco los nuevos años y los nuevos comienzos.
Renacer periódicamente es una gran necesidad humana.

⊠ DIARIO DE MARK SMART ⊠

NOCHE DE FIN DE AÑO

Macy y yo estábamos sentados en el sofá del salón viendo a Dick Clark y a la multitud en Times Square mientras el fuego crepitaba y silbaba en la chimenea. Ni siquiera eran las diez cuando ella me pidió que apagara el televisor. No estaba de humor para celebraciones, televisadas o no. Yo había hecho la cena —costilla a la barbacoa, la receta de mi madre— y habíamos comido en el salón. Macy llevó los platos a la cocina, empezó a llenar el fregadero de agua y entonces sonó el timbre de la puerta.

—¿Esperas a alguien? —pregunté.

—No.

Fui a abrir la puerta. En la entrada había una joven. Por su aspecto parecía salida de un escaparate de alguna *boutique* exclusiva de Park City y llevaba un precioso abrigo largo de piel de cordero. Aunque nunca la había visto, no tuve la menor duda de a quién estaba mirando, porque era igual que Macy. Era Noel.

—Estoy buscando a Macy Wood —dijo—. ¿Está mi hermana en casa?

—Te hemos estado buscando.

—Ya lo sé.

—Pasa.

Noel entró.

—¡Eh, Macy! —la llamé. En aquel preciso instante Macy volvía al salón.

—¿Quién ha…? —Se quedó paralizada. Durante un minuto las dos mujeres se limitaron a mirarse la una a la otra, sin saber cómo reaccionar.

Noel fue la primera en hablar:

—Hola, Macy.

—Noel.

Noel se acercó a ella y una enorme sonrisa se extendió por su rostro. Entonces se arrojaron la una en brazos de la otra.

—No puedo creerlo —dijo Macy—. No puedo creerlo.

—¿Por qué no os sentáis? —tercié. ¿Qué otra cosa podía decir?

Las dos hermanas tomaron asiento la una junto a la otra sin dejar de mirarse.

—No creía que tu madre fuera a hablarte de mí —dijo Macy.

—No iba a hacerlo. La obligué a contármelo.

—Pero ¿por qué se lo preguntaste si no sabías nada?

—Encontré esto. —Sacó un pedazo de papel amarillento del bolsillo de su abrigo y se lo entregó a Macy—. Es una carta de mamá. De nuestra madre.

Macy leyó:

Mi pequeña Noel:

Son las dos de la madrugada y me he pasado las últimas horas aquí tumbada, mirando el reloj, incapaz de conciliar el sueño. Últimamente no duermo bien. El cáncer hace que sea difícil estar cómoda. Mi cuerpo se debilita, pero mi mente está llena de energía, por lo que tengo que escribir mientras todavía pueda hacerlo. No dejo de preocuparme por lo que ocurrirá cuando me haya ido. Tu padre ha luchado contra su adicción. Últimamente se ha portado bien, pero me preocupa lo que pueda pasar si yo no estoy. ¡Ay, cómo espero equivocarme! Le hice prometer, por vuestro bien, que lo superaría. Porque si fracasa no sé qué será de vosotras. Este temor me atenaza el corazón más que la propia muerte. ¿Quién cuidará de mis pequeñas? Tu hermana mayor, Macy, parece intuirlo. Sólo tiene cinco años y sin embargo cuida de ti como una madraza. Sé que ella intentará hacer todo lo que pueda para cuidarte. Ya lo hace. Me preocupa, porque el mundo es demasiado grande y demasiado duro para una niña pequeña. Si papá no cumple su promesa, os alejarán de él y es posible que también os separen a las dos. Rezo para que no sea así. Aún eres muy pequeña y podría ser que ni siquiera recordaras a tu hermana. Escribo esta nota como un mensaje en una botella, enviada con la esperanza de que la providencia pueda guiarte hacia ella. Sé que algún día, cuando sea el momento adecuado, la encontrarás. Cuando lo hagas, debes buscar a tu hermana. Tenéis que estar juntas. No sé qué influencia puedo llegar a tener desde el otro mundo, pero haré lo que pueda. Estés donde estés, mi vida, tienes que saber que velo por tu hermana y por ti. Te quiero con todo mi corazón.

Mamá

Macy levantó la vista de la carta y miró a Noel.

—¿De dónde sacaste esto?

—Estaba ayudando a mi madre a guardar los adornos de Navidad y uno de ellos, mi adorno especial, se cayó del árbol y se hizo añicos. Al principio me quedé desconsolada. Luego vi la nota en medio de los cristales rotos.

Tomó de la mano a Macy.

—Cuando la leí, fue como si se rompiera una presa. Un torrente de recuerdos afluyó a mi cabeza. Y de pronto todo tuvo sentido..., el porqué no me parecía en nada a mis padres o hermanos. —Le puso la mano en la rodilla a Macy—. Pero fue más que eso, al final comprendí mis sueños. Llevo soñando con una niña llamada Macy toda mi vida. Era mi amiga imaginaria. Siempre que estaba triste o tenía miedo, ella estaba allí para ayudarme.

»Un día, cuando tenía siete años, volvía andando a casa de la escuela y los niños de los vecinos empezaron a hacerme rabiar. Uno de ellos me robó la fiambrera y de inmediato te llamé. No tengo ni idea de por qué. Sólo sé que grité: ¡Macy! Ellos volvieron la cabeza, soltaron la fiambrera y salieron corriendo. No sabía por qué había dicho tu nombre. Pero a partir de ese momento creí que si lo decía estaría a salvo. —Miró a su hermana y sonrió—. Gracias por estar siempre ahí para mí.

A Macy se le llenaron los ojos de lágrimas.

—¿Crees que mamá tuvo algo que ver con que se rompiera el adorno?

Noel sonrió.

—Estoy convencida.

Macy se puso de pie de pronto y se acercó al árbol de Navidad, del que colgaba su propio adorno. Lo desenganchó con cuidado de la rama, lo sostuvo en alto con delicadeza y su rostro se reflejó en su brillo carmesí.

—Mi madre estaba conmigo todo el tiempo. —Se volvió a mirarnos—. Llevo toda mi vida protegiendo esto.

—Tal vez haya llegado por fin el momento de romperlo —comenté.

Noel se volvió hacia mí.

—Lo siento, no pregunté. ¿Eres el marido de Macy?

Ésta me miró y durante un momento ninguno de los dos habló. Entonces ella dijo en voz baja:

—Si aún quiere aceptarme.

Una amplia sonrisa se dibujó en mi rostro.

—Has sido de lo más oportuna, Noel. Has llegado justo a tiempo para ver comprometerse a tu hermana mayor.

He acabado por saber que nuestras familias son un lienzo
sobre el que pintamos nuestras mayores esperanzas...,
de un modo imperfecto y descuidado, pues todos somos
unos aficionados en la vida, pero si no nos fijamos demasiado
en nuestros errores, surge un cuadro milagroso. Y aprendemos
que no es la belleza de la imagen lo que justifica nuestra gratitud,
sino la oportunidad de poder pintarla.

✸ DIARIO DE MARK SMART ✸

Macy y yo nos casamos el 3 de noviembre del año siguiente, el aniversario del día en que nos conocimos. En lugar de una tarta de boda, nosotros servimos una torre de *brownies* «muerte por chocolate» de The Hut. No sé por qué, pero parecía adecuado.

Mi padre tomó un vuelo para asistir a la boda. Fue la primera vez que viajaba en avión. El vuelo no fue tan malo como él se temía y hasta disfrutó con la comida de a bordo. Mi padre siempre fue un hombre de gustos sencillos.

El padre de Macy también estuvo presente en la ceremonia,

pero no entregó a su hija. A Macy no le gustaba la idea de que volviera a hacerlo. Murió unos tres meses después, de cirrosis hepática. Macy y Noel estuvieron a su lado cuando falleció. No estoy muy seguro de cómo afectó esta muerte a Macy, pero no fue nada comparada con la de Joette. «La ley de la cosecha», supongo; recoges lo que has sembrado.

Noel fue la dama de honor de Macy. Sigo asombrado de lo parecidas que son las dos, no tan sólo por el físico, sino en sus gestos y forma de pensar. Se diría que nunca estuvieron separadas. Ahora son inseparables y yo bromeo diciendo que si hubiera sabido cuánto tiempo pasarían juntas nunca hubiera contribuido a facilitar su reunión. Me imagino que simplemente están recuperando el tiempo perdido.

Tennys se casó a los tres meses de mi marcha, con un joven médico interno en Birmingham. Finalmente, consiguió a su doctor. Estoy seguro de que tiene unos bebés preciosos.

Han pasado quince Navidades desde que conocí a Macy y la quiero más ahora de lo que nunca creí posible. Eso no quiere decir que no tengamos nuestros problemas. Todo el mundo llega con equipaje a una relación y nosotros dos tenemos más del que nos corresponde. Pero así es la vida. Una vez leí que el amor es como una rosa: nos obsesionamos con la flor, pero es el tallo espinoso lo que la mantiene viva en lo alto. Creo que el matrimonio es así. Como dijo mi padre, las cosas más valiosas son aquellas por las que luchamos. Y al final, si lo hacemos bien, valoramos el tallo mucho más que la flor.

Poco después de casarnos utilicé el dinero de la universidad para abrir mi primera tienda y academia de guitarra: Guitarras Smart. Desde entonces he abierto tres tiendas más. Actualmente contamos con más de doscientos alumnos. Nunca he oído una canción mía por la radio, pero tanto mejor. Sólo las escribo para Macy y a ella le gusta reservárselas para sí.

Tenemos tres hijos. Un niño y dos niñas: Sam, Alice y Jo. Me pregunto qué tal soy como padre. Lo hago lo mejor que puedo. A veces, supongo que lo hago hasta bien. Los niños no vienen con manual de instrucciones. Tienes que entender a cada uno de ellos, y cuando llegas a hacerlo, se van. Rezo para no hacerles mucho daño y espero, por su bien, que ellos también me perdonarán algún día.

Mi padre se está haciendo mayor y los hombres se vuelven blandos y sentimentales con la edad. Hace unos años vendió el taller y ahora pasa el tiempo haciendo un poco de esto y de aquello en la casa. Descubrió Internet y tiene una página web con fotos de sus nietos. Lo veo al menos una vez al año; cada visita parece estar peor y menos capaz, y no sé si seguirá vivo mucho más tiempo, pero agradezco que todavía lo esté. Lo invitamos a que viniera a vivir con nosotros, pero rehusó. No es su casa.

Tenía miedo de cómo sería la Navidad para Macy después de perder a Joette ese mismo día, pero mis temores eran injustificados. Para ella se convirtió en una fecha más sagrada si cabe, como si fuera el día en que Joette se reunió con su pequeño ángel. Todas las Nochebuenas encendemos dos velas, una para Joette y otra para Angela. Macy las coloca juntas de modo que sus llamas se convierten en una sola.

Hay historias, historias navideñas que se guardan como cajas de guirnaldas y adornos de cristal esmerilado para sacarlas y apreciarlas todos los años. He llegado a creer que mi historia es una historia navideña porque ha cambiado para siempre mi manera de ver la Navidad.

Aquellas Navidades aprendí a tener perspectiva, puesto que tanto José el carpintero como Stuart el mecánico criaron al hijo de otra persona. No sabemos mucho sobre José, la Biblia nos cuenta muy poco, pero yo he adquirido un nuevo respeto por ese hombre.

Al igual que en nuestra historia, los cuentos de Navidad originales eran historias de búsqueda, no tanto de lo perdido como de lo familiar. María y José buscaron en Belén —el hogar de sus antepasados— un lugar en el que fundar su propia familia; los tres Reyes de Oriente viajaron bajo aquella estrella centinela para encontrar al Rey de Reyes, y los pastores buscaron a un niño en un lugar que les era muy conocido: un pesebre.

Y quizá tras todas las canciones, poemas y relatos de las fiestas, en realidad las Navidades no sean más que eso: la humanidad en busca de lo familiar. Cada año cantamos las mismas canciones, somos partícipes de las mismas comidas y tradiciones y compartimos las cosas que nos hacen sentir que pertenecemos a algún lugar. Y, al final, lo único que estamos buscando todos es un hogar.

*R*ichard Paul Evans es el autor de diez novelas que han aparecido en la lista de los libros más vendidos del *New York Times* y de cinco libros infantiles. Ha ganado el American Mother's Book Award, el Best Women's Fiction Award de la revista *Romantic Times* en 2005 y consiguió dos primeros puestos en los Storytelling World Awards por sus libros para niños. Sus títulos se han traducido a más de dieciocho idiomas. Se han publicado más de trece millones de ejemplares de sus obras. Además, Evans es el fundador de The Christmas Box House International, una organización dedicada a ayudar a niños abandonados o maltratados. Más de trece mil niños han sido acogidos en los hogares de The Christmas Box House. Ha recibido el Humanitarian of the Century Award del Washington Times y el Volunteers of America Empathy Award. Vive en Salt Lake City, Utah, con su esposa y sus cinco hijos.

Visite la página web de Richard Paul Evans e inscríbase en su lista de correo para recibir gratis guías de debate para grupos de lectura, datos actualizados sobre sus libros y giras y otras ofertas especiales:

www.richardpaulevans.com

Richard Paul Evans

Por favor, envíe la correspondencia escrita a:

Richard Paul Evans
Apartado de correos 1416
Salt Lake City, Utah 84110

Visite nuestra web en:

www.umbrieleditores.com